IFOR BACH

CW00429922

173

IFOR BACH

a story of Norman Wales for Welsh learners

IVOR OWEN

Gwobrwywyd y stori hon yn Eisteddfod Genedlaethol Bangor, 1971, ac fe'i cyhoeddir hi nawr dan gynllun llyfrau Cymraeg y Cyd-Bwyllgor Addysg Cymreig.

Seilir ei phatrymau brawddegol yn fwyaf arbennig ar y rhai a geir yn Llafar a Llun, Llyfrau 1 a 2.

Argraffiad cyntaf 1973
Ail argraffiad Medi 2000

ISBN 0 7074 0344 8

Argraffwyd a chyhoeddwyd gan

WASG GEE, LÔN SWAN, DINBYCH.

1

Normaniaid Creulon

YDYCH chi wedi bod i Gaerdydd? Ydych chi wedi gweld y castell yno a'r muriau uchel o gwmpas y castell? Mae'r castell yn fawr, a'r tu allan iddo fe mae strydoedd a siopau prysur. Mae ceir a bysys a phobl yn pasio'r castell bob awr o'r dydd.

Mae'r castell yn fawr, ond dydy e ddim yn hen iawn. Dydy e ddim yn hen fel Castell Caernarfon neu Gastell Caerffili. Ond, wyth can mlynedd yn ôl, roedd castell arall lle mae Castell Caerdydd yn sefyll heddiw. Doedd yr hen gastell ddim yn fawr iawn, ond roedd muriau uchel o'i gwmpas e, a roedd porth mawr yn y muriau lle roedd y bobl yn mynd i mewn ag allan o'r castell. Roedd Afon Taf yn rhedeg heibio i'r hen gastell fel mae hi'n rhedeg heibio i'r castell heddiw.

Doedd Caerdydd ei hun ddim yn fawr wyth can mlynedd yn ôl. Doedd dim siopau mawr na strydoedd prysur, na dim llawer o bobl yn byw yno. Doedd dim llawer o dai, dim ond bythynnod bach lle roedd y bobl yn byw. Heddiw, mae dociau mawr yng Nghaerdydd, ond doedd dim dociau yno wyth can mlynedd yn ôl.

Roedd pobl yn byw yn yr hen gastell, ond nid Cymry oedden nhw. Normaniaid oedden nhw. Roedd y Normaniaid wedi dod a choncro'r wlad. Rydych chi'n cofio'r hanes am Wiliam Goncwerwr. Norman oedd e.

Norman(iaid) *Norman(s)*
creulon *cruel*
mur(iau) *wall(s)*
wyth can mlynedd yn ôl
eight hundred years ago
uchel *high*
porth *gateway*
ei hun *itself*
bwthyn (bythynnod) *cottage(s)*
concro *to conquer*

Roedd y Normaniaid wedi concro'r wlad a dwyn tir gorau'r Cymry. Roedd rhaid i'r Cymry fyw wedyn ar y bryniau neu yn y mynyddoedd. Ond nid pobl dawel oedd y Cymry. Roedden nhw'n ymladd yn aml i gael eu tir yn ôl. Fe gododd y Normaniaid gestyll wedyn, a chadw llawer o filwyr ynddyn nhw, i gadw'r Cymry'n dawel. Fe gododd y Normaniaid gastell yng Nghaerdydd dros wyth can mlynedd yn ôl i gadw Cymry Morgannwg yn dawel. Roedd y milwyr yn y castell yn barod bob amser i fynd allan i ymladd yn erbyn y Cymry.

Yn y castell roedd Iarll yn byw gyda'i wraig a'i fab. Roedd llawer o filwyr gyda'r Iarll, wrth gwrs. Wiliam oedd enw'r Iarll yma, a Norman creulon oedd e. Fe oedd Arglwydd Morgannwg, a roedd rhaid i bob Norman a Chymro ym Morgannwg ufuddhau iddo fe. Ufuddhau? Na, doedd pob Cymro ddim yn ufuddhau. Dyna Ifor ap Meurig. Roedd e'n barod bob amser i ymladd i helpu'r Cymry i gael eu tir yn ôl.

Dyn bach oedd Ifor ap Meurig — dyna pam roedd pobl yn ei alw fe'n Ifor Bach. Fe oedd Arglwydd Senghennydd ym Morgannwg, a roedd e'n ddyn bach dewr iawn. Doedd arno fe ddim ofn y Normaniaid. Roedd e'n teimlo'n gas tuag atyn nhw. Roedden nhw wedi dwyn ei dir gorau, a roedd rhaid iddo fe fyw nawr i fyny yn y mynyddoedd. Ond eto, roedd Ifor yn ddyn hapus, a roedd e'n gallu byw'n hapus i fyny yn y mynyddoedd gyda'i bobl — dim ond i'r Normaniaid gadw i ffwrdd.

Yn y dydd, roedd Ifor yn gweithio gyda'i bobl ar y tir, yn plannu ŷd yn y caeau ag yn gofalu am y defaid a'r geifr a'r gwartheg ar y bryniau. Weithiau, roedd e'n mynd gyda'i gyfeillion i hela'r blaidd a'r mochyn gwyllt yn y coed.

dwyn *to steal*
tir *land*
ymladd *to fight*
yn aml *often*
iarll *earl*
arglwydd *lord*
ufuddhau *to obey*
dewr *brave*
plannu ŷd *to plant corn*
gofalu am *to look after*
geifr *goats*
gwartheg *cattle*
hela *to hunt*
blaidd *wolf*

Wedyn, yn y nos, roedd y cyfeillion i gyd yn dod i gartref Ifor i ganu ag i wrando ar y delyn, ag i wrando ar y storïwr yn adrodd storïau am yr hen Gymry dewr.

Un noson, ar ôl diwrnod o hela drwy'r goedwig ag i fyny yn y mynyddoedd, roedd ei gyfeillion wedi dod i gartref Ifor. Roedd pawb wedi bwyta'n dda, a roedden nhw'n barod i wrando ar Rhys y Storïwr yn adrodd un o'i storïau. Yn sydyn, meddai Nest, gwraig Ifor Bach,—

'Ifor, ble mae Iolo ap Cynon? Dydy e ddim yma gyda ni heno. Oedd e gyda chi yn hela heddiw?'

'Oedd, roedd e gyda ni, ond fe aeth e adref yn syth ar ôl yr hela heddiw,' atebodd Ifor.

'Ond,' meddai Nest, 'mae pawb yn dod yma ar ôl yr hela bob amser. Pam mae Iolo wedi mynd adref heno?'

'Mae Iolo'n byw i lawr yn y cwm. Mae e'n byw yn rhy agos at y Normaniaid creulon yna. A heddiw roedd arno fe ofn,' atebodd Ifor.

'Ofn? Ofn beth?' gofynnodd Nest.

'Wel, roedd e wedi gweld dau neu dri o filwyr y Normaniaid ar gefn eu ceffylau yn mynd heibio i'w gartref y bore yma. Wrth gwrs, mae e'n gweld milwyr yn aml i lawr yn y cwm. Ond doedd e ddim yn hoffi golwg y milwyr yma. Doedd e ddim yn siŵr pwy oedden nhw. Milwyr Roland y Blaidd, efallai, a rydych chi'n gwybod sut bobl ydyn nhw. Y mwya creulon o'r Normaniaid i gyd. A felly, fe aeth Iolo adref yn syth ar ôl yr hela.'

'Ond, Ifor,' meddai Nest wedyn, 'doedd Iolo ddim wedi gadael Gwenllian a'r plant heb neb i ofalu amdanyn nhw?'

'Wel, nag oedd. Roedd digon o ddynion Iolo ar ôl i ofalu am Gwenllian a'r plant. A nawrte, Rhys y Storïwr, beth am y stori yna? Stori Culhwch ag Olwen heno, ie?'

Roedd Rhys yn barod i ddechrau pan agorodd y drws yn sydyn. Yno'n sefyll roedd Iolo ap Cynon. Roedd ei wyneb e'n wyn, a roedd golwg wyllt yn ei lygaid e.

gwyllt *wild*
cyfaill (cyfeillion) *friend(s)*
coedwig *forest*
ofn *fear*
yn syth *straight*

heibio *by, past*
cwm (cymoedd) *valley(s)*
golwg *look*
efallai *perhaps*
heb neb *without any one*

'Iolo!' meddai Ifor Bach a neidio ar ei draed. 'Beth sy'n bod? Mae golwg ofnadwy arnoch chi. Beth sy wedi digwydd?'

'Y Norman cas yna! Y Norman creulon yna!' meddai Iolo yn wyllt.

'Pwy, Iolo? Yr Iarll Wiliam? Beth mae e wedi wneud nawr?' gofynnodd Ifor.

'Nage, nid yr Iarll Wiliam. Mae e yn ei gastell yn gwneud dim byd ond bwyta a mynd yn dew. Ond ei ddynion e ydy'r trwbwl. Mae e'n gadael i'w ddynion ddod i ddwyn ein tir a'n hanifeiliaid ni, a dydy e'n gwneud dim i'w rhwystro nhw,' meddai Iolo.

'Oes rhywun wedi dwyn eich tir a'ch anifeiliaid chi nawr, Iolo?'

'Oes, Ifor.'

'Pwy?'

'Roland y Blaidd!'

Roedd pawb o'r cwmni ar eu traed nawr.

'Roland y Blaidd!' medden nhw i gyd. Roedden nhw i gyd yn gwybod amdano fe — y mwya creulon o'r Normaniaid i gyd.

ofnadwy *terrible*
gadael *to allow, to permit, to leave*
rhwystro *to stop, to prevent*

2

'Mae'n rhaid i ni siarad â'r Iarll'

FE aeth Ifor Bach at ei gyfaill Iolo.

'Dewch, Iolo! Eisteddwch yma! Rydych chi wedi cael amser ofnadwy. Dywedwch wrthon ni beth ddigwyddodd i lawr yn y cwm heddiw.'

'Dyma beth ddigwyddodd, Ifor,' meddai Iolo a'i lygaid yn fflachio. 'Fe ddaeth Roland y Blaidd a'i filwyr i fy nghartref heddiw a dwyn fy ŷd i gyd. Maen nhw wedi dwyn fy ngwartheg a fy merlod i gyd hefyd, a llosgi fy nghartref i'r llawr. Does dim gyda fi nawr, dim ond y defaid a'r geifr. Roedden nhw'n rhy uchel ar y mynydd allan o gyrraedd y milwyr.'

'Ond Iolo, beth am Gwenllian, eich gwraig? A beth am y plant?' gofynnodd Nest, gwraig Ifor. 'Ble maen nhw? Ydy'r Blaidd wedi gwneud rhywbeth iddyn nhw? Ydy e wedi mynd â nhw i ffwrdd hefyd?'

'Nag ydy. Pan welodd Gwenllian y milwyr yn dod, fe redodd hi gyda'r plant i'r goedwig, ag yng nghoedwig Pen Twyn maen nhw nawr. Maen nhw'n ddiogel yno. Mae ar y Normaniaid ofn mynd i'r goedwig — ofn cael cyllell yn eu cefnau. A fe fydd rhai ohonyn nhw'n cael y gyllell ar ôl hyn,' meddai Iolo.

'Peidiwch â siarad mor wyllt, Iolo,' meddai Ifor.

'Peidiwch â siarad mor wyllt? Hy! Dydych chi ddim wedi colli eich cartref. Dydych chi ddim wedi colli eich ŷd i gyd a'ch anifeiliaid,' atebodd Iolo. 'O, roeddwn i'n ffôl i

beth ddigwyddodd *what happened*
fy ŷd i gyd *all my corn*
merlod *ponies, small horses*
diogel *safe*
ar ôl hyn *after this*

fynd i hela heddiw. Roeddwn i wedi gweld y milwyr y bore yma, ond wrth gwrs, roedd rhaid i fi fynd i hela yn lle aros i ofalu am fy ngwraig a'r plant.'

'Nag oeddech. Doeddech chi ddim yn ffôl, Iolo,' meddai Ifor. 'Rydyn ni i gyd yn gwybod sut ddyn ydych chi, yn barod i ymladd y Norman bob amser. Mae'r Normaniaid yn lladd pobl fel chi, ond wrth lwc, roeddech chi gyda ni yn hela. Roeddech chi'n ddiogel gyda ni.'

'Diogel,' meddai Iolo yn wyllt, 'a fy ngwraig yn rhedeg fel anifail i'r goedwig, a'r dynion ofnadwy yna'n llosgi fy nghartref i'r llawr? Dydy'ch gwraig chi, Ifor ap Meurig, ddim yn cysgu yn y goedwig heno, a mae eich anifeiliaid i gyd gyda chi.'

'A mae eich bywyd gyda chi, Iolo. Dydych chi ddim yn gorwedd yn farw yn un o'ch caeau eich hun,' atebodd Ifor.

Edrychodd Iolo'n hir ar Ifor Bach.

'Rydw i'n deall, Ifor. Ond fe fydd rhaid i'r Normaniaid cas yna dalu am eu gwaith heddiw,' meddai Iolo.

'Bydd, a mae rhaid rhwystro'r Blaidd yna rhag gwneud rhagor o ddrwg. Fe fydd Roland y Blaidd yn siŵr o ddod yma hefyd ryw ddydd, ond mae rhaid i ni ei rwystro fe ryw ffordd.'

Cydiodd Nest ym mraich ei gŵr. Roedd ofn yn ei chalon hi.

'Fydd e ddim yn dod yma, Ifor?'

'Bydd, mae arna i ofn, Nest. Fe fydd eisiau mwy a mwy o dir arno fe; mwy a mwy o wartheg ag anifeiliaid. Felly, mae rhaid i ni feddwl am gynllun i'w rwystro fe.'

'Rhwystro'r Blaidd?' meddai Iolo. 'Mae'n amhosibl. Mae milwyr gyda fe — llawer o filwyr creulon fel y Blaidd ei hun.'

'Ydy, mae'n bosibl ei rwystro fe,' meddai Ifor yn dawel.

'O, mae'n bosibl, ydy e? Wel, dywedwch sut, Ifor ap Meurig,' meddai Iolo a rhyw wên gas ar ei wyneb e.

yn lle *instead of*
lladd *to kill*
fel chi *like you*
rhagor *more*
rhwystro . . . rhag
to prevent . . . from

ryw ddydd *some day*
ryw ffordd *some way, somehow*
calon *heart*
cydio yn *to take hold of*
cynllun *plan*
gwên *smile*

'Fel hyn, Iolo,' atebodd Ifor. 'Yr Iarll Wiliam ydy Arglwydd Morgannwg.'

Chwerthodd Iolo'n gas.

'Arglwydd Morgannwg yn wir! Lleidr ydy e, a lladron ydy'r Normaniaid i gyd.'

'Ydyn, lladron ydyn nhw i gyd, rydyn ni'n gwybod. Ond yr Iarll Wiliam ydy Arglwydd Morgannwg, a mae rhaid i bawb ufuddhau iddo fe.'

Chwerthodd Iolo unwaith eto.

'Ufuddhau! Ydych chi'n ufuddhau i'r Iarll bob amser, Ifor ap Meurig?' gofynnodd e.

Gwenodd Ifor.

'Wel, nag ydw, ddim bob amser, Iolo, fel rydych chi'n gwybod. Ond mae rhaid i Roland y Blaidd ufuddhau i'r Iarll, neu fe fydd e'n colli ei dir.'

'Ond dydy'r Iarll ddim yn symud bys na llaw i rwystro Roland y Blaidd, a dynion fel fe, rhag dwyn ein tir a'n hanifeiliaid ni,' meddai Iolo yn wyllt ei dymer.

'Nag ydy, ond dydyn ni ddim wedi bod yn siarad â'r Iarll eto,' atebodd Ifor. 'Dydyn ni ddim wedi gofyn iddo fe wneud dim i rwystro dynion fel y Blaidd rhag dwyn a lladd a llosgi. Mae rhaid i ni fynd i siarad â'r Iarll.'

'Beth? Mynd i siarad â'r Iarll? Ble?' gwaeddodd Iolo. Doedd e ddim yn gallu credu ei glustiau ei hun.

'Mae rhaid i ni fynd i'r castell yng Nghaerdydd i siarad â fe,' meddai Ifor heb godi ei lais o gwbl.

'O, rydych chi'n siarad yn ffôl, Ifor Bach. Chlywais i ddim byd mwy ffôl erioed,' meddai Iolo. 'Pwy sy'n mynd i'r castell i siarad â'r Iarll? Dywedwch pwy, Ifor ap Meurig!'

'Chi a fi, Iolo.'

'Ifor! Na!' meddai Nest. 'Dydych chi ddim yn mynd

yn wir *indeed*
lleidr (lladron) *thief (thieves)*
gwenu *to smile*
fel fe *like him*
rhag dwyn *from stealing*
tymer *temper*
credu *to believe*
ei glustiau ei hun *his own ears*
heb godi *without raising*
o gwbl *at all*

i'r castell. Fe fydd yr Iarll yn eich taflu chi i'r dwnsiwn dan y castell, neu fe fydd e'n eich lladd chi.'

'Mae rhaid i ni fentro, Nest. Mae rhaid i ni siarad â'r Iarll. Does dim ffordd arall i rwystro'r Blaidd. Cofiwch, mae rhaid i bawb ufuddhau i'r Iarll.'

'Chi hefyd. Mae rhaid i chi ufuddhau hefyd,' meddai Iolo ap Cynon. 'Ond dywedwch, Ifor ap Meurig, sut rydyn ni'n mynd i mewn i'r castell? Ydyn ni'n mynd at y porth mawr, a churo, a dweud, " Os gwelwch yn dda, rydyn ni eisiau siarad â'r Iarll "? Ydych chi'n gwybod beth fydd yn digwydd i ni? Fe fyddwn ni'n cael cleddyf yn ein bola ni, neu fe fyddan nhw'n torri ein tafodau ni. Mae Caerdydd yn llawn o filwyr. Fyddwn ni ddim yn gallu mynd yn agos at y castell i ddechrau.'

'Mae'r Normaniaid yn greulon, rydw i'n gwybod, ond dydyn nhw ddim yn plannu cleddyf ym mola pawb. Cofiwch, mae llawer o Gymry'n byw o gwmpas y castell. Maen nhw'n gweithio ar y tir — ein tir ni, wrth gwrs, ond mae'r Normaniaid wedi ei ddwyn e nawr. Mae'n bosibl i ni fynd yn agos at y castell heb gael cleddyf yn ein bola, Iolo.'

'O'r gorau, Ifor. Mae'n bosibl i ni fynd yn agos at y castell. Ond sut byddwn ni'n mynd i mewn i'r castell i siarad â'r Iarll wedyn? ' gofynnodd Iolo.

Roedd pawb o'r cwmni'n gwrando ar bob gair, a meddai un ohonyn nhw,—

'Ie, dywedwch sut rydych chi'n mynd i mewn i'r castell wedyn. Ydych chi'n mynd i ddringo'r muriau uchel? Cofiwch, mae milwyr ar y muriau bob amser, a bwa a saeth gyda phob un ohonyn nhw.'

'Na, fydd Iolo a fi ddim yn dringo'r muriau.' Fe droiodd Ifor yn sydyn at Iolo. 'Fe fyddwch chi'n dod gyda fi, Iolo, wrth gwrs.'

dwnsiwn *dungeon*
mentro *to venture*
curo *to knock*
cleddyf *sword*
tafod *tongue*
cwmni *company*
bwa a saeth *bow and arrow*

'Bydda, wrth gwrs. Does dim ofn bwa a saeth na chleddyf arna i,' atebodd Iolo. 'Ond dydych chi ddim wedi dweud eto sut byddwn ni'n mynd i mewn i'r castell.'

'Fe fyddwn ni'n mynd i mewn drwy'r porth mawr. Fe fydd y milwyr yn agor y porth ag i mewn â ni,' meddai Ifor, a roedd rhyw wên fach yn ei lygaid e.

Ond dim gwenu roedd Iolo a'r dynion eraill yn y cwmni, ond chwerthin am ben Ifor roedden nhw. Doedden nhw ddim yn gallu gweld y milwyr yn agor y porth mawr a gadael i Ifor a Iolo fynd i mewn i'r castell — dim ond wedi eu rhwymo mewn rhaffau.

'Peidiwch â chwerthin,' meddai Ifor. Doedd e ddim yn hoffi clywed pobl yn chwerthin am ei ben e, ond doedd e ddim yn mynd i golli ei dymer nawr. 'Mae cynllun gyda fi.'

'Cynllun?' meddai pawb o'r cwmni. 'Beth ydy'r cynllun, Ifor?'

'Dydw i ddim yn dweud popeth wrthoch chi nawr, ond yfory, fe fydd Iolo a fi'n mynd i Gaerdydd a fe fyddwn ni'n siarad â'r Iarll yn ei gastell ei hun,' atebodd Ifor.

'Na, peidiwch â mynd, Ifor,' meddai Nest gan gydio yn ei fraich e, 'neu, fyddwch chi byth yn dod yn ôl, a fe fydda i heb ŵr, a Gwenllian a'r plant heb dad.'

'Nest, peidiwch â siarad fel yna. Mae rhaid i fi fynd. Mae rhaid i ni fentro siarad â'r Iarll, neu fe fyddwn ni'n colli popeth. Fydd y Blaidd ddim yn fodlon aros i lawr yn y cwm. Ond nawr, mae rhaid i ni fynd i nôl Gwenllian a'r plant o'r goedwig. Fe fyddan nhw'n aros yma gyda ni nawr, Nest. Fe fyddan nhw'n gwmni i chi pan fydd Iolo a fi'n mynd i Gaerdydd. Dewch, Iolo. Rydych chi'n gwybod ble mae Gwenllian a'r plant . . .'

Fe gerddodd y ddau gyfaill allan i dywyllwch y nos . . .

dynion eraill *other men*
wedi eu rhwymo *bound, tied*
rhaff(au) *rope(s)*
yfory *tomorrow*
gan gydio yn *taking hold of*
heb *without*
bodlon *satisfied, willing*
tywyllwch *darkness*

3

Mynd i'r Castell

YN gynnar y bore wedyn, roedd Ifor Bach a Iolo'n barod i fynd ar eu merlod i Gaerdydd — i siarad â'r Iarll Wiliam yn ei gastell ei hun. Roedd ofn mawr ar Nest. Fe gydiodd hi ym mhen merlyn Ifor i'w rwystro fe rhag mynd.

'O, Ifor, peidiwch â mynd i'r castell. Arhoswch yma! Fe fydd yr Iarll yn siŵr o'ch lladd chi — y ddau ohonoch chi,' meddai hi'n drist.

'Mae rhaid i ni fynd, Nest,' atebodd Ifor. 'Peidiwch ag ofni! Fe fydd Iolo a fi gartref heno. A mae gwaith gyda chi i ofalu am Gwenllian a'r plant. Ffarwel nawr, Nest. Iolo, ydych chi'n barod?'

'Ydw, rydw i'n barod,' atebodd Iolo, ag i ffwrdd â'r ddau — y dyn bach dewr, Ifor, a'r dyn mawr cryf, Iolo.

Cwmni trist iawn oedd yn edrych arnyn nhw'n mynd.

Roedd deng milltir gyda Ifor a Iolo i fynd i Gaerdydd, ond roedd eu merlod nhw'n gryf ag yn gyflym, ag yn fuan, roedden nhw wedi gadael y mynydd mawr lle roedd cartref Ifor. I lawr drwy'r goedwig wedyn i'r cwm ag at yr afon. Nawr roedden nhw'n gallu gweld dynion yn gweithio yn y caeau. Cymry oedden nhw, ond roedd y Normaniaid wedi dwyn eu tir nhw. Nawr, gweithio i'r Normaniaid roedden nhw, a gweithio'n galed iawn hefyd, neu roedd y Normaniaid yn eu curo nhw a'u cosbi nhw'n ofnadwy. Fe edrychodd Ifor arnyn nhw'n drist.

trist *sad*
cryf *strong*
milltir(oedd) *mile(s)*
yn fuan *soon*
curo *to beat*
cosbi *to punish*

'Fel yna byddwn ni, Iolo, os bydd y Blaidd yn dwyn ein tir ni hefyd.'

'Os bydd y Blaidd . . . Hy! Mae e wedi dwyn fy nhir i yn barod,' atebodd Iolo a'i dymer yn codi. 'Ond dywedwch, Ifor, beth am y cynllun yma? Sut byddwn ni'n mynd i mewn i'r castell? Dydw i ddim yn gweld sut mae'n bosibl i ni fynd i mewn. Fe fydd milwyr o gwmpas y castell, cofiwch.'

'Bydd, rydw i'n gwybod. Ond mae'r cynllun yn un syml iawn, Iolo,' atebodd Ifor. 'Fe fyddwn ni'n mynd at y porth mawr a gofyn i'r milwyr ein gadael ni i fynd i mewn.'

Chwerthodd Iolo.

'A fe fyddan nhw'n siŵr o'n gadael ni i fynd i mewn! O, Ifor, rydych chi'n siarad yn ffôl.'

'O, fe fydd esgus gyda fi, Iolo.'

'Wel, fe fydd rhaid i'r esgus fod yn un da iawn, Ifor, neu rydw i'n gwybod lle byddwn ni — i lawr yn y dwnsiwn.'

'Peidiwch ag ofni, Iolo. Rydw i'n adnabod yr Iarll yn dda iawn, rydw i'n meddwl. Fe fydd y milwyr yn siŵr o wrando arna i, a fe fydd yr Iarll yn gwrando hefyd . . . ar ôl i ni fynd i mewn i'r castell,' atebodd Ifor.

Ymlaen aeth y ddau gyfaill, filltir ar ôl milltir, ar gefn eu merlod. Yna, un filltir o Gaerdydd, meddai Ifor,—

'Mae'n well i ni aros nawr, Iolo. Mae'r merlod wedi blino, a mae eisiau bwyd arna i. Mae cig a bara gyda fi yma, a medd. Fe fydd amser mawr cyn i ni gael bwyd eto, efallai.'

'O'r gorau, Ifor. Mae eisiau bwyd arna i hefyd,' atebodd Iolo.

Neidiodd y ddau i lawr o gefn eu merlod a gadael i'r ddau ferlyn bori'n dawel tra oedden nhw'n bwyta ag yn yfed.

Yn sydyn meddai Iolo a'i geg e'n llawn o fara a chig,—

'Ifor, oes dim ofn arnoch chi i fynd i mewn i'r castell i siarad â'r Iarll?'

os *if*
syml *simple*
esgus *excuse*
adnabod *to know (a person)*
medd *mead (a drink made of honey)*
pori *to graze*
tra *while*

'Wel, dydyn ni ddim wedi mynd i mewn i'r castell eto, Iolo. Ond mae rhaid i fi ddweud, mae ofn arna i.'

'Mae'n dda gen i glywed, Ifor, achos mae ofn arna i. Dydyn ni ddim yn gwybod beth fydd yn digwydd i ni. Dyna pam mae ofn arna i.'

'Mae rhaid i ni guddio'n hofn ni, Iolo. Cymry ydyn ni, cofiwch.'

'O, fe fydda i'n cuddio fy ofn, peidiwch ag ofni,' meddai Iolo.

'O'r gorau. A nawr mae'n bryd i ni fynd eto, Iolo,' meddai Ifor.

Fe neidiodd Ifor a Iolo ar gefn eu merlod a dechrau ar y filltir ola i Gaerdydd, i gastell Iarll Wiliam y Norman . . .

'Dyna'r castell, Iolo,' meddai Ifor. 'Mewn pum munud fe fyddwn ni y tu mewn i'r castell yna.'

'Os byddwn ni'n lwcus,' meddai Iolo a gwên ofnus ar ei wyneb e. 'Edrychwch ar y milwyr, Ifor.'

Roedd cwmni o filwyr yn sefyll wrth y porth mawr. Fe droison nhw i edrych ar y ddau Gymro ar gefn eu merlod. Fe aeth Ifor yn syth atyn nhw.

'Mae arnon ni eisiau gweld yr Iarll Wiliam,' meddai fe.

Fe chwerthodd y milwyr yn ei wyneb e.

'Ho-ho-ho! Gwrandewch ar y dyn. Mae arno fe eisiau gweld yr Iarll!' meddai un o'r milwyr. 'A pwy wyt ti, ddyn bach?'

'Ifor ap Meurig, Arglwydd Senghennydd,' atebodd Ifor.

Fe chwerthodd y milwyr yn fwy.

'Ho-ho-ho-ho! Arglwydd Senghennydd! Wel, wir, rwyt ti'n ddyn pwysig. Arglwydd Senghennydd! Mae'r dyn bach yn ddyn mawr iawn. Fe ydy Arglwydd Senghennydd! A beth ydy Senghennydd? Rhyw dwll ar ben y mynydd, ie? Mae'n well i ti fynd yn ôl i dy dwll ar unwaith, neu fe fyddi di i lawr yn y dwnsiwn o dan y castell,' meddai un arall o'r milwyr.

mae'n bryd *it is time*
(g)wir *indeed*
pwysig *important*

'Mae rhaid i fi siarad â'r Iarll,' meddai Ifor yn ddewr.

'O, wir! Mae rhaid iddo fe siarad â'r Iarll! Wel, wel! A fe fydd yr Iarll yn siŵr o wrando arnat ti, rydw i'n siŵr,' meddai'r milwr. 'Wyt ti'n gwybod beth fydd e'n wneud â thi, ddyn bach mawr? Fe fydd e'n dy daflu di i'r dwnsiwn . . . ar ôl torri dy dafod di.'

'Fydd e ddim yn cael y neges wedyn . . . ar ôl torri fy nhafod,' meddai Ifor.

'O, mae neges gyda thi, oes e?' meddai'r milwr.

'Oes, neges bwysig iawn,' atebodd Ifor.

'Wel, dwed dy neges wrtho i,' meddai'r milwr wedyn. 'Fe fydda i'n rhoi'r neges i'r Iarll wedyn . . . efallai . . .'

'O, na, mae rhaid i fi ddweud y neges fy hun,' meddai Ifor.

'Gwrando, ddyn bach,' meddai'r milwr yn ddig, 'does neb yn mynd drwy'r porth yma i roi unrhyw neges i'r Iarll.'

'Mae'r neges oddi wrth Roland y Blaidd,' meddai Ifor.

'Roland y Blaidd?'

Edrychodd y milwr yn graff ar Ifor. Edrychodd Iolo arno fe hefyd. Doedd e ddim wedi clywed dim byd am neges oddi wrth y Blaidd.

'Mae'r neges yn bwysig,' meddai Ifor wedyn wrth y milwr. 'A rydych chi'n adnabod y Blaidd. Os bydd e'n clywed amdanoch chi yn fy rhwystro i rhag rhoi fy neges i'r Iarll, wel . . . does dim rhaid i fi ddweud dim rhagor. Fe fydd e'n torri eich tafodau chi, nid fy nhafod i.'

Roedd ofn yn llygaid y milwr nawr.

'O'r gorau, ddyn bach. Mae'n well i ti fynd i mewn. Ond does dim dagr na chleddyf gyda thi, oes e?'

'Nag oes. Dim ond y dwylo yma,' meddai Ifor gan ddangos ei ddwylo.

'O'r gorau,' meddai'r milwr. 'Tyrd gyda fi.'

Fe aeth e at y porth mawr a churo'n galed. Agorodd drws bach yn y porth a fe ddangosodd milwr arall ei ben drwy'r drws.

neges *message*
fy hun *myself*
dig *angry*
craff *keen*
dagr *dagger*

'Beth sy'n bod?' gofynnodd y milwr.

'Mae neges gyda'r dyn bach yma i'r Iarll.'

'Wel, dydy e ddim yn dod i mewn yma.'

'Mae'r neges oddi wrth Roland y Blaidd o Fynydd Ilan,' meddai Ifor.

'O! Wel, dywedwch y neges a fe fydda i'n rhoi'r neges i'r Iarll.'

'Na, mae rhaid i fi roi'r neges fy hun,' meddai Ifor. 'Dyna ddywedodd y Blaidd, a mae rhaid ufuddhau iddo fe.'

'Rhaid,' meddai'r milwr yn y drws. Roedd e'n gwybod am Roland y Blaidd hefyd! 'Dewch!'

Fe aeth Ifor a Iolo i mewn drwy'r drws bach yn y porth.

'Ydych chi'n gweld, Iolo?' meddai Ifor yn dawel. 'Rydyn ni'n mynd i mewn i'r castell. Roedd yn amhosibl ddywedoch chi.'

'Do, fe ddywedais. Ond beth am y neges yma? Chlywais i ddim byd am neges oddi wrth y Blaidd. Oes neges gyda chi, Ifor?' gofynnodd Iolo.

'Oes, mae neges gyda fi, ond ddim oddi wrth y Blaidd,' a fe chwerthodd Ifor yn dawel.

'Rydych chi'n chwerthin nawr, Ifor. Ond fyddwch chi'n chwerthin ar ôl gweld yr Iarll?' meddai Iolo yn ofnus.

'Efallai . . . ac efallai na, Iolo . . .'

Yn sydyn, fe gofiodd Iolo am y merlod.

'Beth am y merlod, Ifor?' meddai fe.

'Fe fydd y milwyr y tu allan yn gofalu amdanyn nhw,' meddai'r milwr. 'Nawr, arhoswch chi yma,' meddai fe pan ddaethon nhw at y drws i mewn i'r gaer. 'Mae rhaid i fi fynd i weld yr Iarll yn gynta. Os ydy e'n bwyta, neu rywbeth . . . wel, fe fydd rhaid i chi aros.'

'Rydyn ni'n fodlon aros, ond dydw i ddim yn gwybod am y Blaidd. Dydy e ddim yn hoffi aros,' atebodd Ifor.

'Y Blaidd? Hy! Mae'r Iarll yn fwy pwysig na fe,' ag i mewn â'r milwr i'r gaer.

caer *fort*

4

Siarad â'r Iarll

DOEDD dim rhaid i Ifor a Iolo aros yn hir. Fe ddaeth y milwr yn ôl yn fuan. Roedd yr Iarll wedi cael ei ginio, a roedd amser gyda fe i weld y ddau Gymro, ag efallai cael sbort am eu pennau nhw. Roedd e'n hoff iawn o hynny. A beth oedd neges Roland de Manche, tybed? Dyna oedd enw'r Blaidd, a Blaidd oedd e i bob Cymro — a milwr Norman hefyd.

'Dewch gyda fi,' meddai'r milwr wrth Ifor a Iolo.

Dilynodd y ddau Gymro y milwr i mewn i'r gaer ag Ifor yn edrych yn ofalus o'i gwmpas. 'Fe fydda i'n dod yma eto, efallai,' meddai Ifor wrtho'i hun.

Fe ddaethon nhw o'r diwedd at ddrws lle roedd dau filwr yn sefyll a'u cleddyfau yn eu dwylo.

'Dyma ni,' meddai'r milwr.

Fe gurodd e ar y drws ag i mewn â fe. Roedd dau filwr yn sefyll y tu mewn i'r drws hefyd, a dau arall ar ddwy ochr soffa fawr. Ar y soffa roedd y gŵr mawr ei hun — yr Iarll William.

'A dyma'r ddau Gymro, ie?' meddai'r Iarll. 'Mae neges gyda chi oddi wrth Roland de Manche.'

'Nag oes,' atebodd Ifor ar unwaith.

'Nag oes?' meddai'r Iarll yn syn. 'Dyna beth ddywedoch chi wrth y milwr. Rydych chi wedi dod o Fynydd Ilan neu rywle gyda neges oddi wrth Roland de Manche.'

'Does dim neges gyda ni oddi wrth Roland de Manche, ond rydyn ni wedi dod o Fynydd Ilan i siarad â chi.'

syn *surprised*

Fe edrychodd yr Iarll ar Ifor a'i geg e ar agor. Pwy oedd y dyn bach haerllug yma? Roedd e'n edrych yn ddyn bach dewr hefyd, a roedd yr Iarll yn hoff o ddynion dewr.

'Pwy ydych chi, ddyn bach?' gofynnodd yr Iarll gan hanner cau ei lygaid ag edrych yn graff ar Ifor.

'Ifor ap Meurig ydw i,' atebodd Ifor. 'Fi ydy Arglwydd Senghennydd.'

'Chi ydy beth?' chwerthodd yr Iarll. 'Chi ydy Arglwydd Senghennydd? O, felly!'

'Ie,' atebodd Ifor.

'Ydych chi'n gwybod pwy ydw i?' gofynnodd yr Iarll.

'Ydw,' atebodd Ifor gan edrych yn syth i lygaid yr Iarll. 'Chi ydy'r Norman, yr Iarll Wiliam.'

'Beth?' gwaeddodd yr Iarll a golwg gas ar ei wyneb e. 'Ie, fi ydy'r Norman, yr Iarll Wiliam. Fi ydy Arglwydd Morgannwg hefyd. Mae mynyddoedd Senghennydd ym Morgannwg. Fi, felly, ydy Arglwydd Senghennydd, ddyn bach.'

'Ni'r Cymry oedd biau'r tir i gyd, o'r mynyddoedd i'r môr, ond rydych chi wedi dwyn y tir oddi arnon ni,' atebodd Ifor yn ddewr.

Fe neidiodd yr Iarll ar ei draed. Roedd e'n colli ei dymer.

'Dwyn? Dwyn ddywedaist ti, y dyn bach haerllug?' meddai fe a'i lais e'n codi. 'Dydyn ni'r Normaniaid byth yn dwyn. Concro rydyn ni. Rydyn ni wedi concro'r wlad yma, a felly, ni biau'r wlad nawr. Nage, nid ni, ond fi . . . fi . . . fi! Fi biau'r wlad yma i gyd nawr. Ydych chi'n clywed, ddyn bach?'

'Ydw, rydw i'n clywed,' atebodd Ifor. 'Chi biau'r wlad nawr. Chi biau Morgannwg nawr.'

'A mae rhaid i bawb ufuddhau i fi. . . . Beth ydy eich enw chi eto?' gofynnodd yr Iarll yn sydyn.

'Ifor ap Meurig, Arglwydd Seng . . .' Stopiodd Ifor yn sydyn. 'Ifor ap Meurig ydy f'enw i,' meddai fe'n syml wedyn.

haerllug *impudent, cheeky*
oedd biau *owned*
byth *ever, never*
ni biau *we own*

'A mae rhaid i Ifor ap Meurig ufuddhau i'r Iarll Wiliam fel pawb arall,' meddai'r Iarll.

'Rhaid,' atebodd Ifor.

Edrychodd Iolo'n syn ar Ifor. Oedd ei gyfaill nawr yn addo ufuddhau i'r Iarll? Na, doedd hynny ddim yn bosibl. Roedd rhyw gynllun arall gyda fe yn ei ben, siŵr o fod.

Eisteddodd yr Iarll unwaith eto ar ei soffa fawr. Roedd e'n gwenu nawr, gwenu'n gas ag yn greulon.

'A does dim neges gyda chi i fi oddi wrth Roland de Manche,' meddai fe. 'Tric haerllug oedd sôn am y neges er mwyn dod i mewn i'r castell, ie?'

'Ie, tric,' atebodd Ifor. 'Tric er mwyn cael siawns i siarad â chi, Iarll Wiliam.'

'Wel, rydych chi'n siarad â fi nawr, y dyn bach haerllug. Wel, ewch ymlaen. Beth sy gyda chi i ddweud?'

'Mae'r Normaniaid wedi dwyn . . . wedi concro'n gwlad ni . . .'

Ar y gair 'dwyn', roedd yr Iarll yn barod i neidio ar ei draed unwaith eto. Fe aeth Ifor ymlaen,—

'Rydych chi wedi concro'r wlad, a mae rhaid i bob Cymro fel Iolo a fi fyw yn y mynyddoedd. Does dim tir da gyda ni yn y mynyddoedd, a dydyn ni ddim yn gallu tyfu ŷd na dim ceirch. Does dim llawer o fwyd gyda ni. Rydyn ni'n llwgu.'

'Wel! Wel! Mae'n ddrwg gyda fi,' meddai'r Iarll a'r wên gas, greulon ar ei wyneb e o hyd. 'A mae'r Cymro bach a'i gyfeillion yn llwgu o eisiau bwyd. Druan ohonoch chi!'

'A nawr mae Roland y Blaidd . . . Roland de Manche . . . yn dwyn y bryniau a'r mynyddoedd oddi arnon ni. Mae e'n llosgi ein cartrefi ni. Fe losgodd e gartref Iolo fy nghyfaill ddoe, a dwyn ei anifeiliaid i gyd.'

Roedd yr Iarll ar ei draed unwaith eto.

'Dwyn? Rydw i wedi dweud . . . dydyn ni'r Normaniaid ddim yn dwyn. Nid lladron ydyn ni, ond concwerwyr!

addo *to promise*
er mwyn *in order to*
ceirch *oats*
llwgu *to starve*
druan ohonoch chi *you poor wretches*
concwerwyr *conquerors*

Concwerwyr! Ydych chi'n clywed, y dyn bach haerllug? Concwerwyr ydy'r Normaniaid.'

'Ie, Iarll Wiliam, concwerwyr! Ond fe gymerodd Roland de Manche anifeiliaid Iolo i gyd ddoe a llosgi ei gartref. Cyn hir, fydd dim tir gyda ni, na chartrefi nag anifeiliaid. Fe fyddwn ni i gyd yn llwgu ag yn marw.'

'Peth da fydd hynny. Fe fydd yn dda gyda fi weld pob Cymro'n marw,' atebodd yr Iarll creulon.

Doedd dim ateb gydag Ifor am funud bach.

'Does dim ateb gyda chi i hwnna, Ifor ap Meurig,' meddai'r Iarll.

'Nag oes, Iarll Wiliam, dim ateb. Dim ond cwestiwn,' atebodd Ifor.

'O? Beth ydy'r cwestiwn?'

'Pwy fydd yn gweithio yn y caeau i chi? Pwy fydd yn gofalu am yr anifeiliaid i chi pan fydd pob Cymro wedi marw?'

Roedd gwên fawr ar wyneb yr Iarll nawr.

'Wel, mae rhywbeth yn eich pen chi, ddyn bach. A rydych chi'n ddewr hefyd yn mentro dod yma drwy chwarae tric, mae rhaid i fi ddweud.'

Doedd Iolo ap Cynon ddim yn gwenu. Oedd Ifor nawr yn addo gweithio i'r Norman yma? Roedd e wedi addo ufuddhau i'r Iarll yn barod. Ond, oedd e?

Fe aeth yr Iarll ymlaen,—

'Rydw i'n hoffi pobl ddewr . . . pobl haerllug weithiau. . . . Rydyn ni'r Normaniaid yn ddewr. Dyna pam rydyn ni wedi concro'r wlad yma. Ond roeddech chi'n sôn am Roland de Manche, neu Roland y Blaidd, fel rydych chi'n ei alw fe. Roedd e wedi llosgi cartref y dyn mawr yma, meddech chi.'

'Oedd, a dwyn . . . a chymryd ei anifeiliaid e. Rydw i'n gofyn i chi, Iarll Wiliam, i rwystro Roland de Manche rhag llosgi dim mwy . . . rhag mynd â mwy o'n hanifeiliaid a'n

cyn hir *before long*
llwgu *to starve*
fe fydd yn dda gyda fi *I shall be glad*
pan *when*
sôn *to mention, to talk of*
meddech chi *you said*

hŷd ni. Chi ydy Arglwydd Morgannwg. Mae rhaid iddo fe ufuddhau i chi.'

'Rhaid. Mae rhaid i bawb ufuddhau i fi, Roland de Manche a phawb arall,' meddai'r Iarll balch.

'A rydych chi'n addo, Iarll Wiliam?' gofynnodd Ifor.

'Addo? Addo beth?'

Edrychodd yr Iarll yn syn ar Ifor. Oedd y Cymro bach haerllug yma'n gofyn iddo fe, yr Iarll, addo rhywbeth?

'Addo rhwystro Roland y Blaidd rhag cymryd dim mwy o'n tir a'n hanifeiliaid ni,' atebodd Ifor heb gymryd ei lygaid oddi ar wyneb yr Iarll.

'Addo? Nag ydw! Dydw i, Iarll Wiliam, Arglwydd Morgannwg, ddim yn addo dim i neb . . . neb . . . neb.'

Roedd llygaid yr Iarll yn fflachio nawr. Beth, fe, Norman balch, yn gwrando ar ddyn bach fel hwn? Fe gododd e ar ei draed.

'Na, dydw i ddim yn addo dim i neb.'

'Ond rydych chi eisiau dynion i weithio ar y tir . . . i dyfu ŷd . . .' meddai Ifor yn dawel.

'Ydyn, rydyn ni eisiau Cymry bach i weithio ar y tir, ond mae digon o ddynion gyda ni heb . . . Hy! . . . yr Arglwydd Senghennydd, a'r dyn mawr arall yma. I'r dwnsiwn â'r ddau!'

Fe neidiodd dau filwr at Ifor a Iolo.

'Fe fydda i'n torri eich tafodau chi,' meddai'r Iarll. 'Fyddwch chi ddim yn gallu siarad wedyn, ond fe fyddwch chi'n gallu gweithio, a gweithio'n galed hefyd, neu fe fyddwch chi'n cael eich curo a'ch cosbi'n ddrwg. Rydyn ni'n gwybod beth i wneud gyda dynion fel chi. I ffwrdd â nhw i'r dwnsiwn! Dydw i ddim eisiau gweld y dynion yma eto, na chlywed y dyn bach yma'n siarad, siarad o hyd.'

Roedd yr Iarll yn gweiddi yn ei dymer erbyn hyn. Fe gydiodd y milwyr yn Ifor a Iolo a'u gwthio nhw allan o'r stafell, ag yna, i lawr grisiau oer cerrig i'r dwnsiwn tywyll o dan y castell.

balch *proud*
erbyn hyn *by this time*
gwthio *to push, to shove*
grisiau *steps*

Gorweddodd y ddau Gymro'n flin a dig ar y gwellt yn y dwnsiwn.

'Fyddwn ni ddim yn mynd adref at ein gwragedd heno, Iolo,' meddai Ifor yn drist wrth Iolo.

'Na fyddwn. Fyddwn ni ddim yn mynd adref o gwbl,' atebodd Iolo. 'A mae Gwenllian a'r plant i fyny ar y mynydd oer yna.'

'Nest hefyd,' meddai Ifor.

'Fyddwn ni ddim yn eu gweld nhw eto,' meddai Iolo. 'Weithiodd eich cynllun chi ddim heddiw, Ifor.'

'Naddo, weithiodd fy nghynllun ddim heddiw,' a fe ysgydwodd Ifor ei ben yn drist . . .

blin *cross, angry*
gwellt *straw*
gwragedd *wives*
ysgydwodd Ifor *Ifor shook*

5

Yn y Dwnsiwn

'SUT mae eich bola chi, Iolo?'

'Yn wag, Ifor . . . yn wag. Rydw i bron â llwgu, Ifor. O, mae eisiau bwyd arna i.'

'Mae fy mola i'n wag hefyd, Iolo.'

Roedd y ddau gyfaill nawr yn y dwnsiwn oer a gwlyb dan Gastell Caerdydd. Doedden nhw ddim yn gwybod faint o amser roedden nhw wedi bod yno. Diwrnod? Dau ddiwrnod? Tri? Roedd hi'n dywyll fel nos yn y dwnsiwn, a doedd y ddau Gymro ddim yn gwybod pryd roedd hi'n ddydd na phryd roedd hi'n nos. Ond roedden nhw'n gwybod un peth — roedden nhw wedi bod yn y dwnsiwn am amser hir, hir iawn.

Doedd neb yn dod i'w gweld nhw, dim ond milwr nawr ag yn y man. Roedd e'n dod â bwyd iddyn nhw nawr ag yn y man — bara du a dŵr oer — ond doedd y bwyd ddim yn hanner digon. Roedden nhw eisiau bwyd yn ddrwg iawn, ond roedden nhw'n lwcus iawn mewn un ffordd. Doedd neb wedi dod i'w cosbi nhw, a doedd neb wedi dod i'w curo nhw na dim. Doedd neb wedi dod i dorri eu tafodau nhw o'u cegau fel roedd yr Iarll wedi dweud. Bob munud roedden nhw'n disgwyl gweld rhai o'r milwyr yn dod â chyllyll yn eu dwylo nhw i wneud y gwaith creulon. Ond doedd neb wedi dod eto.

bron â *almost, nearly*
gwag *empty*
gwlyb *wet*
nawr ag yn y man *now and then*
faint o amser
how long (how much time)
pryd *when (time)*
cyllyll *knives*

'Beth am fynd i gysgu eto, Iolo?' gofynnodd Ifor. 'Rydw i'n anghofio am fy mola gwag pan ydw i'n cysgu.'

'Cysgu ar y gwellt gwlyb yma? Mae'n amhosibl,' atebodd Iolo. 'Dydw i ddim wedi cysgu drwy'r amser rydyn ni wedi bod yma.'

'Nag ydych chi?' chwerthodd Ifor. 'Rydych chi wedi cysgu am oriau ag oriau — fwy nag unwaith. Rydw i wedi cysgu ychydig hefyd, ond bob tro roeddwn i'n deffro, roeddech chi'n cysgu fel mochyn, ag yn gwneud sŵn fel mochyn hefyd!'

'Nag oeddwn, Ifor!'

'Oeddech, Iolo. A rydw i'n mynd i gysgu eto. Mae'r amser yn mynd yn fwy cyflym pan rydw i'n cysgu.'

'Rydw i'n rhy oer i gysgu nawr. Ond dywedwch, Ifor, faint o amser rydyn ni wedi bod yn y dwnsiwn gwlyb yma?' gofynnodd Iolo.

'Dydw i ddim yn gwybod, ond mae'r milwyr wedi dod â bara du a dŵr oer i ni bum gwaith.'

'Pum gwaith?'

'Pum gwaith, Iolo. Os ydyn nhw wedi dod â bwyd i ni ddwy waith bob dydd — unwaith yn y bore ag unwaith yn y nos — rydyn ni wedi bod yn y dwnsiwn yma am ddau ddiwrnod a hanner,' atebodd Ifor.

'A beth ydy hi nawr, dydd neu nos?'

'Nos rydw i'n meddwl, a rydyn ni wedi cael ein swper. Nos da nawr, Iolo,' meddai Ifor. 'Rydw i'n mynd i gysgu.'

'Mynd i gysgu? Dydw i ddim yn gwybod sut rydych chi'n gallu cysgu o gwbl, Ifor. Ydych chi ddim yn meddwl am Nest a'ch cartref?' gofynnodd Iolo.

'Wrth gwrs, rydw i'n meddwl am Nest. Rydw i'n meddwl am Gwenllian a'r plant hefyd. Dyna pam rydw i'n mynd i gysgu.'

'Dydw i ddim yn eich deall chi, Ifor.'

'Fel hyn, Iolo. Pan ydw i wedi deffro, rydw i'n meddwl amdanyn nhw o hyd, a rydw i'n teimlo'n flin ag ofnus. Rydw

anghofio *to forget*
oriau *hours*
ychydig *a little*
pum gwaith *five times*
wedi deffro *awake*

i'n meddwl beth sy'n digwydd iddyn nhw. Ydy'r Normaniaid wedi eu cario nhw i ffwrdd? Ydy'r Normaniaid wedi dwyn fy nghartref i hefyd? Ydy'ch plant chi'n ddiogel? Mae cwestiynau fel yna yn rhedeg drwy fy meddwl i fel tân. Ond pan rydw i'n cysgu, rydw i'n breuddwydio a rydw i'n hapus. Rydw i'n ôl yn fy nghartref, yn rhydd i fynd allan i hela, yn rhydd i siarad â fy nghyfeillion, yn rhydd i wrando ar y delyn a gwrando ar storïau Rhys y Storïwr o gwmpas y tân yn y nos. Ydw, pan ydw i'n breuddwydio, rydw i'n rhydd ar ben y mynydd, dim yn y dwnsiwn gwlyb ag oer yma ar wely o wellt, fel rydyn ni nawr.'

'Pan ydw i'n breuddwydio . . .' dechreuodd Iolo.

'O, rydych chi'n cysgu weithiau, Iolo,' chwerthodd Ifor.

'Wel . . . y . . . ydw, weithiau. Ond pan ydw i'n breuddwydio, rydw i'n breuddwydio am yr Iarll yna a Roland y Blaidd. Rydw i'n eu gweld nhw'n lladd ag yn llosgi ymhob man, yn torri tafodau dynion, ag yn tynnu eu llygaid nhw o'u pennau,' meddai Iolo'n drist. 'Rydw i'n cael breuddwydion ofnadwy . . .'

'O, peidiwch, Iolo . . .' Stopiodd Ifor yn sydyn. 'Ust! Mae rhywun wrth y drws. Edrychwch, Iolo! Mae golau dan y drws.'

'Rydyn ni wedi cael ein swper. Maen nhw'n dod i dorri . . . i dorri ein tafodau ni, fel dywedodd yr Iarll. Fe ddywedoch chi ormod wrth yr Iarll yna. Roeddech chi'n rhy haerllug, Ifor,' meddai Iolo'n ofnus.

'Iolo! Peidiwch â siarad fel yna! Roedd rhaid mentro rhywbeth. Cofiwch, Cymry ydyn ni. Mae rhaid i ni guddio'n hofn.'

'Mae'n ddrwg gyda fi, Ifor. Ond rydych chi'n gwybod mor greulon ydy'r Normaniaid yma . . .'

Fe agorodd y drws yn araf. Roedd dau filwr yn sefyll yno a roedd ffagl gyda phob un o'r ddau.

'Cofiwch,' meddai Ifor yn dawel, 'Cymry ydyn ni. Fyddwn ni ddim yn dangos dim ofn.'

breuddwydio *to dream*
rhydd *free*
weithiau *sometimes*
ymhob man *everywhere*
araf *slow*
ffagl(au) *torch(es)*

'Rydw i'n deall, Ifor . . .

Fe ddaeth y milwyr i mewn i'r dwnsiwn. Cododd un ohonyn nhw ei ffagl yn uchel uwch ei ben er mwyn gweld yn well.

'Ble rydych chi, y Cymro bach a'r Cymro mawr?' meddai fe. Doedd y ffaglau ddim yn rhoi llawer o olau.

Ddywedodd Ifor a Iolo ddim un gair. Dim ond aros yn dawel. Doedden nhw ddim am ddangos dim ofn.

'Ble rydych chi?' gwaeddodd y milwr gan ddod i ganol y dwnsiwn. 'A! Dyna chi! Allan â chi! Ar unwaith hefyd!'

Fe gododd Ifor a Iolo oddi ar eu gwely o wellt.

'Beth sy'n mynd i ddigwydd nawr?' gofynnodd Ifor yn dawel i'r milwr.

'Beth sy'n mynd i ddigwydd? Dim, y ffŵl! Dim!' atebodd y milwr.

'Dim?' gofynnodd Ifor. Doedd e ddim yn deall. Doedd e ddim yn gallu credu ei glustiau. Dim? Doedden nhw ddim yn mynd i . . .

'Nag oes, does dim yn mynd i ddigwydd. Rydych chi'n rhydd, rhydd i fynd yn ôl i'ch mynyddoedd gwlyb tywyll,' meddai'r milwr yn flin ei dymer.

Doedd Iolo ddim yn gallu credu ei glustiau ei hun chwaith.

'Mae'r Iarll yn gadael i ni fynd yn rhydd?' meddai fe.

'Ydy, diolch i'r dyn bach yma. Roeddech chi'n ddewr i siarad â'r Iarll fel gwnaethoch chi. A mae e'n hoffi pobl ddewr. Dyna pam mae e'n eich gadael chi i fynd yn rhydd. Ond cyn mynd, mae rhaid i chi addo un peth,' meddai'r milwr.

'Addo beth?' gofynnodd Ifor.

'Mae rhaid i chi addo aros yn y mynyddoedd.'

'Dyna lle mae ein cartrefi ni,' atebodd Ifor.

'Dewch ymlaen, te,' meddai'r milwr. 'Dilynwch chi fi. Does dim llawer o olau gyda'r ffaglau yma.'

'Ydy hi'n olau y tu allan?' gofynnodd Ifor.

uwch ei ben *above his head*
yn well *better*
canol *middle*
fel gwnaethoch chi *as you did*

'Golau y tu allan? Nag ydy! Mae hi'n nos oer, dywyll, wlyb. Ach! Mae hi'n bwrw glaw yn y wlad yma bob dydd . . . bob dydd . . . glaw . . . glaw . . . a dim ond glaw. Ond yn Normandi . . .yn Normandi, mae'r tywydd yn braf. Mae gwraig a phlant gyda fi yn Normandi . . .'

'Mae gwragedd gyda ni i fyny yn y mynyddoedd,' meddai Ifor yn dawel.

'Druan ohonyn nhw! Mae'n ddrwg gyda fi drostyn nhw. . . . Dewch, dilynwch fi,' meddai'r milwr.

'Mae calon gyda'r Norman yma, beth bynnag,' meddyliodd Ifor gan ei ddilyn e i fyny'r grisiau cerrig allan o'r dwnsiwn.

Cyn hir roedden nhw allan yn yr awyr iach unwaith eto. Roedd hi'n bwrw glaw yn drwm a'r gwynt yn chwythu fel storm, ond meddai Iolo,—

'O, mae hi'n braf!'

'Braf?' gofynnodd y milwr yn syn. 'Braf ddywedoch chi? A'r glaw yn arllwys i lawr?'

'Mae'n braf bod allan yn yr awyr iach unwaith eto,' atebodd Iolo, 'ar ôl bod yn y dwnsiwn tywyll yna.'

'Ba!' meddai'r milwr. Roedd yn well gyda fe Normandi na'r wlad oer, wlyb yma. 'Dewch!'

Fe gerddodd e ar draws y beili o'r gaer at y porth ag agor y drws bach ynddo fe.

'I ffwrdd â chi,' meddai fe.

'Ond ble mae ein merlod ni?' gofynnodd Ifor. 'Roedd merlod gyda ni pan ddaethon ni i'r castell.'

'Wel, does dim merlod gyda chi nawr,' atebodd y milwr.

'Rydych chi wedi eu dwyn nhw,' meddai Iolo a'i dymer e'n codi.

'Yr Iarll sy wedi eu dwyn nhw,' atebodd y milwr. 'Ewch nawr, neu fe fyddwch chi'n ôl yn y dwnsiwn. I ffwrdd â chi!' Roedd e eisiau mynd yn ôl at ei dân yn y gaer allan o'r gwynt a'r glaw mawr. 'Mae rhaid i chi gerdded adref heno.'

calon *heart*
beth bynnag *whatever*
awyr iach *fresh (healthy) air*
arllwys *to pour*
ar draws y beili *across the bailey*

Fe gydiodd Ifor ym mraich Iolo.

'Dewch, Iolo,' meddai fe. 'Mae Nest a Gwenllian a'r plant yn aros amdanon ni rywle i fyny yn y mynyddoedd acw.'

Roedd Iolo eisiau gofyn mwy am y merlod, ond roedd sôn am Gwenllian a'r plant yn ddigon i'w gadw fe rhag siarad dim mwy, na gwneud mwy o drwbwl.

'Ie, Gwenllian! A rydyn ni'n rhydd! Dewch, Ifor! Fyddwn ni ddim yn hir yn cerdded y deng milltir adref.'

'Na fyddwn,' meddai Ifor.

Fe gaeodd y drws ar eu hôl nhw, a fe redodd y milwr yn ôl at ei dân. Ond gwynt a glaw oedd o flaen Ifor a Iolo . . .

rywle *somewhere*

ar eu hôl nhw
after them, behind them

6

Cyrraedd Adref

ROEDD y nos yn ddu fel bola buwch, a roedd y glaw yn arllwys i lawr o hyd. Doedd Ifor a Iolo ddim wedi cael hanner digon o fwyd yn y dwnsiwn, ond ar ôl byw bob dydd ar y mynyddoedd, a bod allan ymhob tywydd, roedden nhw'n ddigon iach a chryf i gerdded y deng milltir adref drwy unrhyw law ag unrhyw wynt. Roedden nhw'n hapus; roedden nhw'n rhydd a roedd tân braf a bwyd yn eu haros nhw.

Ymlaen â nhw, filltir ar ôl milltir gan ddilyn yr afon i ddechrau. Yna, dringo drwy'r goedwig, a'r glaw yn arllwys ar eu pennau nhw o'r coed. Ond glaw neu beidio, roedden nhw'n hapus a roedd Iolo'n canu nerth ei ben.

'Byddwch yn dawel, Iolo,' meddai Ifor, 'neu fe fydd rhyw Norman yn siŵr o'ch clywed chi.'

'Norman? Fyddwn ni ddim yn gweld un Norman heno. Mae arnyn nhw ofn bod allan yn y glaw ar nos fel hon. O, mae hi'n braf, a chyn hir fe fydd Gwenllian yn fy mreichiau unwaith eto,' atebodd Iolo.

Fe gododd e ei wyneb a gadael i'r glaw arllwys arno fe. 'Braf! Braf!' meddai fe, ag Ifor yn chwerthin yn dawel am ei ben e. Fe ddechreuodd Ifor ganu hefyd.

Cyn hir, fe ddaeth y ddau Gymro allan o'r goedwig. Roedden nhw ar y mynydd agored. Doedd dim llawer o goed yn tyfu mor uchel i fyny'r mynydd â hyn. Roedd y

o hyd *still, all the time*
glaw neu beidio *rain or not*
nerth ei ben
at the top of his voice (the strength of his head)
mor uchel . . . â hyn
as high as this

glaw'n arllwys i lawr o hyd a'r gwynt yn chwythu'n storm i lawr y mynydd. Gwaith caled oedd ymladd yn erbyn y gwynt yma. Roedd rhaid i'r ddau gyfaill stopio canu!

Ond dyma nhw'n dod i Bant yr Hafod. Roedd y Pant fel soser yn y mynydd a doedd y gwynt ddim mor gryf yma, a roedd y ddau gyfaill yn gallu siarad unwaith eto.

'Fe fydd Gwenllian a Nest yn ein disgwyl ni, Ifor?' meddai Iolo bron yn ofnus. 'Rydyn ni wedi bod i ffwrdd am dri diwrnod nawr.'

'Byddan, gobeithio,' atebodd Ifor. 'Maen nhw wedi bod yn meddwl llawer amdanon ni y dyddiau yma, rydw i'n siŵr. Mae'r Normaniaid wedi ein dal ni a'n lladd ni — dyna beth maen nhw'n feddwl, druan ohonyn nhw. Ond fydd dim rhaid iddyn nhw ofni dim rhagor. Fe fyddwn ni gartref yn fuan nawr.'

'Byddwn,' meddai Iolo. 'Fe fydd hi'n braf gorwedd wrth y tân a fy mola'n llawn o fwyd, a gwrando ar y plant yn siarad a chwarae. O, fe fydd hi'n braf.'

'Dim ond milltir eto,' meddai Ifor. 'Rydyn ni allan o'r Pant nawr.'

Ie, dim ond milltir eto, ond milltir hir a chaled iawn oedd hi a'r gwynt yn chwythu mor galed yn erbyn y ddau. Roedd y nos yn dywyll o hyd, ond roedd Ifor a Iolo yn gwybod am bob craig a choeden, pob twll ag ogof ar y mynydd, yn y nos ag yn y dydd. Doedden nhw ddim yn debyg o golli eu ffordd.

'Mewn dau funud fe fyddwn ni'n gweld fy nghartref,' gwaeddodd Ifor yn erbyn y gwynt. 'Fe fydd pawb yn cysgu, ond fe fyddan nhw'n ddigon parod i godi i agor y drws i ni heno, Iolo.'

'Byddan, byddan,' gwaeddodd Iolo'n ôl.

Yna, dyna nhw'n gweld y tŷ, y tŷ o bren a mwd, cartref Ifor ap Meurig, Arglwydd Senghennydd.

pant *hollow*
disgwyl *to expect*
llawn *full*
yn erbyn *against*
craig *rock*
ogof(âu) *cave(es)*
yn debyg *likely*

'Edrychwch, Iolo! Mae golau yn y tŷ. Dydy'n gwragedd ni ddim yn cysgu. Dydyn nhw ddim yn eu gwelyau. Maen nhw'n ein disgwyl ni,' gwaeddodd Ifor, a dyma fe'n dechrau rhedeg at y tŷ. Roedd e wedi blino ar ôl y dyddiau a'r nosau hir yn y dwnsiwn, ag ar ôl cerdded y milltiroedd drwy'r storm o Gaerdydd, ond roedd e'n gallu rhedeg nawr. Roedd e mor agos at ei gartref a'r croeso yno.

Yn sydyn, fe stopiodd Ifor. Roedd e'n gallu clywed sŵn yn dod o'r tŷ, sŵn canu mawr yn cael ei gario ar y gwynt.

'Gwrandewch, Iolo! Maen nhw'n canu . . .' Ag yna, fe ddaeth rhyw dristwch mawr drosto fe.

'Ydych chi'n clywed y canu yna, Iolo?' gofynnodd Ifor.

'Ydw, rydw i'n clywed. Nid canu Cymraeg ydy hwnna,' atebodd Iolo.

'Dewch at y tŷ, Iolo.'

Fe aeth y ddau at y tŷ a gwrando. Dynion meddw oedd yn canu — Normaniaid meddw, milwyr meddw.

'Normaniaid! Maen nhw wedi dwyn fy nghartref i nawr, Iolo,' meddai Ifor yn ddig. 'Gwaith Roland y Blaidd ydy hyn, rydw i'n siŵr. Gwrandewch arnyn nhw! Maen nhw wedi meddwi ar ein medd ni. Ond ble mae Nest, tybed?

'A Gwenllian a'r plant?'

'Mae rhaid i ni fynd i mewn i'r tŷ, Iolo, Normaniaid neu beidio.'

'Does dim cleddyf na bwa a saeth . . . na dim gyda ni,' meddai Iolo.

'Nag oes, ond mae rhaid i ni fynd i mewn i weld ble mae Nest a Gwenllian a'r plant.'

'I mewn â ni, Ifor. Mae dwylo gyda ni, ag os ydyn nhw wedi meddwi, wel . . .'

Fe aeth y ddau at ddrws y tŷ a'i agor. Dyna le! Roedd deg neu fwy o filwyr yn gorwedd o gwmpas y llawr, a roedd pob un wedi meddwi. Ond dacw un Norman yn eistedd ar stôl wrth y bwrdd mawr pren. 'Fy stôl i,' meddyliodd Ifor. Roedd dillad y Norman yma'n well na dillad y milwyr eraill.

croeso *welcome*
tristwch *sadness*
meddw *drunken*
meddwi *to be drunk, to get drunk*
stôl *stool, seat, chair*
pren *wooden*

'Y dyn acw ar y stôl — fy stôl i,' meddai Ifor. 'Dacw Roland y Blaidd!'

Roedd Roland y Blaidd wedi gweld y ddau Gymro wrth y drws, a fe gododd e'n araf a meddw ar ei draed.

'Hei, chi, Gymry taeog, rydw i eisiau rhagor o fedd. Mae'r medd yma'n dda. Rydyn ni i gyd eisiau rhagor, gwaeddodd y Blaidd.

Roedd eraill o'r Normaniaid wedi gweld Ifor a Iolo erbyn hyn, ond doedden nhw ddim yn gallu gweld yn glir iawn. Roedden nhw'n rhy feddw.

'Ie, rhagor o fedd,' gwaeddodd un neu ddau ohonyn nhw. 'Dewch! Rhagor o fedd, y taeog!'

'Glywoch chi, Iolo?' meddai Ifor a'i wyneb yn goch gan dymer. 'Maen nhw'n ein galw ni'n daeogion.'

'Rydw i'n mynd i ladd y Blaidd yna,' meddai Iolo. Roedd e'n barod wedi rhoi ei droed fawr ar wyneb un o'r milwyr ar y llawr. Clec! Fe dorrodd ei drwyn e! Chwerthodd Iolo.

'Dyna ddechrau! Rydw i wedi torri trwyn un Norman, a nawr rydw i'n mynd i ladd y Blaidd yna,' a dyma fe'n dechrau cerdded dros y milwyr meddw ar y llawr, a rhoi ei draed trwm ar bob un ohonyn nhw.

'Arhoswch, Iolo!' gwaeddodd Ifor. 'Mae rhaid i ni wybod ble mae Nest a Gwenllian yn gynta. Gofalwch chi am y dynion meddw yma. Rydw i'n mynd i siarad â Roland y Blaidd. Os bydd un ohonyn nhw'n codi, wel . . . i lawr â fe ar unwaith.'

Fe neidiodd Ifor dros y milwyr ar y llawr at Roland y Blaidd.

'Ble mae . . . Ble mae'r medd . . . medd yna, y taeog?' gofynnodd y Blaidd.

'Taeog eich hun,' atebodd Ifor. 'Dywedwch ble mae Nest, fy ngwraig?'

'E? E . . . e . . . e? Pwy? Pwy?' gofynnodd y Norman. 'Ble mae'r medd?'

'Ble mae Nest? Nest fy ngwraig? Ble mae hi, y Norman meddw?' gwaeddodd Ifor. 'A beth rydych chi'n wneud yn fy nghartref i? Fi biau'r lle yma. Dyma fy nghartref i.'

taeog *villein, person of low birth*   clir *clear*

Doedd y Blaidd ddim yn gallu gweld yn glir iawn, roedd e mor feddw, ond roedd e'n deall geiriau Ifor — wel, rhai ohonyn nhw.

'Chi . . . Chi bi . . . biau'r lle yma?' chwerthodd y Blaidd. 'Fi . . . Fi bi . . . biau fe nawr . . .'

Fe gydiodd Ifor yn nwy glust y Blaidd ag ysgwyd ei ben e.

'Ble mae fy ngwraig?' gwaeddodd e yn ei wyneb.

'Hei! Rydych chi'n ys . . . ysgwyd fy mhen,' meddai'r Blaidd gan geisio cydio yn ei gleddyf.

'Dywedwch ble mae fy ngwraig, neu fe fydda i'n torri eich clustiau chi i ffwrdd â'ch cleddyf eich hun.' Roedd Ifor wedi colli ei dymer yn llwyr.

Fe geisiodd y Blaidd godi ar ei draed, ond fe ddododd Ifor ei ddwylo am ei wddw e a gwasgu . . . gwasgu. . . . Roedd wyneb y Blaidd yn las a roedd ofn mawr yn ei lygaid e.

'Dywedwch ble mae fy ngwraig, neu bydda i'n gwasgu eto,' meddai Ifor.

'He . . . He . . . Helpwch fi!' Fe geisiodd y Blaidd weiddi ar ei ddynion, ond bob tro roedd un ohonyn nhw'n ceisio codi, roedd Iolo'n rhoi ei droed ar ei wyneb e. Fe geisiodd un gydio yn ei gleddyf, ond roedd Iolo'n rhy gyflym iddo fe. Fe gydiodd Iolo yn y cleddyf; bob tro roedd Norman yn codi ei ben wedyn, roedd Iolo'n ei daro fe . . . Slap! Doedd neb yno i'w rwystro fe rhag lladd pob milwr yn y lle. Ond nid un i ladd er mwyn lladd oedd Iolo, dim ond pan oedd e'n ymladd yn deg.

'He . . . Helpwch fi!' gwaeddodd Roland y Blaidd unwaith eto, ond doedd neb yn gallu ei helpu fe.

Fe wasgodd Ifor ei fysedd yn fwy tynn am wddw'r Blaidd.

'Dywedwch ble mae fy ngwraig neu fe fydda i'n eich lladd chi. Dywedwch ar unwaith!' gwaeddodd Ifor.

ysgwyd *to shake*
gwasgu *to squeeze*
er mwyn *for the sake of (in order to)*
tynn *tight*

Erbyn hyn roedd tafod y Blaidd yn hongian o'i geg a'i lygaid yn neidio o'i ben. Fe geisiodd e siarad . . .

'O'r gorau, dywedwch! ' meddai Ifor. Fe laciodd e ei fysedd am wddw'r Blaidd. 'Ble mae fy ngwraig? '

Roedd y Blaidd wedi sobri — wel, roedd e'n sobri'n gyflym iawn.

'Roedd eich . . . eich gwraig yma,' meddai fe gan ymladd am ei wynt. 'Dwy wraig . . . a phlant hefyd. Ond maen nhw wedi . . . wedi mynd. . . . Pan oeddwn i'n dod at y tŷ yma gyda fy milwyr y prynhawn yma, fe welais i'r ddwy wraig a'r plant . . . yn rhedeg . . . yn rhedeg i fyny i'r mynydd.'

'Aeth eich milwyr ar eu hôl nhw? ' gofynnodd Ifor.

Fe gododd y Blaidd ei ddwylo at ei wddw — roedd Ifor wedi gwasgu'n galed iawn!

'Ach . . . ch . . . ch! Na . . . Naddo. Aeth neb ar eu hôl nhw. Roedd fy milwyr yn chwilio am rywbeth i'w yfed, a fe gawson ni'r medd yma . . . '

'A mae'r gwragedd a'r plant yn ddiogel? ' gofynnodd Ifor.

'Dydw i ddim yn gwybod. Fe welais i nhw'n rhedeg i'r mynydd, fel dywedais i. Dydw i ddim yn gwybod dim rhagor amdanyn nhw,' atebodd y Blaidd.

Roedd Iolo'n gwrando ar bob gair — gan daro milwr ar ei ben â'r cleddyf bob tro roedd e'n ceisio codi.

'Rydw i'n gwybod ble maen nhw wedi mynd,' meddai fe.

'Rydw i'n gwybod hefyd,' meddai Ifor. 'Mae rhaid i ni fynd yno ar unwaith. Ond yn gynta, rydw i'n mynd i losgi'r tŷ yma.

'Beth? Llosgi eich cartref eich hun? ' meddai Iolo'n syn.

'Fe fydd y Blaidd yn llosgi'r lle ar ôl sobri digon, a dwyn popeth yma. Rydw i'n mynd i losgi'r lle am bennau'r Normaniaid meddw yma,' meddai Ifor. 'Fydd dim heddwch i ni yma eto.'

'Mae rhaid i ni ladd y Blaidd. Fe fydd heddwch wedyn,' meddai Iolo.

llacio *to loosen*
sobri *to sober up, to become sober*
heddwch *peace*

‘Na fydd, fydd dim heddwch wedyn. Fe fyddwn ni'n tynnu mwy o drwbwl am ein pennau ni os byddwn ni'n ei ladd e. Fe fydd yr Iarll yn fwy creulon nag o'r blaen wrth Gymry'r dref a phawb arall.’

‘Rydych chi'n dweud y gwir, Ifor. Ond rydw i'n mynd â'r cleddyf yma gyda fi.’

‘A rydw i'n mynd â chleddyf y Blaidd.’

Roedd y Blaidd yn eistedd nawr a'i ben ar y bwrdd heb allu gwneud dim i rwystro Ifor rhag mynd â'i gleddyf.

Yna, fe gymerodd Ifor ffagl o'r tân a'i thaflu hi i ganol y milwyr meddw ar y llawr.

‘Fe fydd y milwyr yma'n llosgi yn y tân,’ meddai Iolo.

‘Na; fe fyddan nhw'n sobri'n ddigon buan pan fyddan nhw'n teimlo'r tân o'u cwmpas nhw. Mae e'r Blaidd wedi sobri'n barod. Ond os byddan nhw'n llosgi . . . wel, fe fyddan nhw'n llosgi, a does dim rhagor i'w ddweud. Dewch nawr, Iolo. Mae rhaid i ni fynd i chwilio am ein gwragedd.’

Fe aeth y ddau Gymro allan i'r nos unwaith eto. Roedd y glaw yn arllwys i lawr o hyd, a'r gwynt yn chwythu'n wyllt dros y mynydd.

‘Fe fydd y tŷ'n llosgi'n braf yn y gwynt yma,’ meddai Ifor.

‘Bydd, ond fydd y milwyr yna'n sobri digon i ddianc o'r tân?’ gofynnodd Iolo.

‘Fel dywedais i, Iolo, os byddan nhw'n llosgi . . . wel, fe fyddan nhw'n llosgi. Rydw i'n gallu bod yn greulon hefyd,’ atebodd Ifor. ‘Mae'r Normaniaid yn barod iawn i gosbi. Maen *nhw'n* cael eu cosbi nawr. Ond i ffwrdd â ni i Ogof Pen Mynydd. Dyna lle mae Nest a Gwenllian wedi dianc, rydw i'n siŵr.’

‘Ie, i Ogof Pen Mynydd. Pedair milltir drwy'r gwynt a'r glaw, Ifor.’

‘Ie, pedair milltir, ond fe fyddwn ni'n ddiogel yn yr ogof. Does dim un Norman wedi bod mor bell â Phen Mynydd . . . eto.’

gwir *truth*

7

Yn Ogof Pen Mynydd

YMLAEN ag ymlaen aeth Ifor a Iolo. Roedd pedair milltir hir o'u blaen nhw, a'r ddau wedi blino'n llwyr a bron â llwgu o eisiau bwyd. I lawr ar ochr y mynydd danyn nhw, roedden nhw'n gallu gweld y fflamau'n codi o gartref Ifor. Nawr ag yn y man, roedden nhw'n gallu clywed sŵn gweiddi dros sŵn y gwynt. Roedd rhai o'r Normaniaid wedi sobri digon i weiddi, beth bynnag. Roedd calon Ifor yn drist; ond roedd yn well gyda fe losgi'r lle na'i adael i'r Normaniaid meddw yna. Tybed oedden nhw i gyd wedi sobri digon i ddianc o'r fflamau?

Fel roedd Ifor a Iolo'n dod at ben y mynydd, meddai Ifor,—

'Fe fydd rhaid i ni fod yn ofalus nawr. Mae creigiau ymhob man. Dydw i ddim eisiau syrthio dros un o'r creigiau ar ôl dod mor agos i'r ogof.'

'Rydw i'n ddigon gofalus, Ifor. Ond edrychwch draw. Mae hi'n dechrau goleuo. Rydyn ni wedi bod yn cerdded drwy'r nos.'

'Ydy, mae hi'n dechrau goleuo. A dydy hi ddim yn bwrw glaw mor drwm nawr, a dydyn ni ddim ymhell o'r ogof. Mae tair craig fawr a wedyn, dyna'r ogof. Dacw'r graig gynta.'

Yn ofalus iawn fe gerddodd y ddau rownd y graig gynta. Yna, dyna'r ail graig a'r drydedd. Y tu ôl i'r drydedd graig

llwyr *completely*
gofalus *careful*
creigiau *rocks*
goleuo *to get light*
ymhell *far*

roedd twll yn y llawr. Y twll oedd drws yr ogof . . . a dyna fe!

'Rydyn ni gartref,' gwaeddodd Iolo a rhedeg at y twll.

'Gartref?' meddai Ifor a'i galon e'n drwm ag yn drist. 'Ydy Nest a Gwenllian yma? Dydyn ni ddim yn siŵr eto.' 'Gartref!' meddyliodd e wedyn. Roedd ei gartref e'n fflamau i lawr ar ochr y mynydd. Ond rhyw ddiwrnod, roedd e'n mynd i dalu'n ôl i'r Normaniaid creulon, balch yma — talu'n ôl iddyn nhw yn eu harian eu hunain. Ond dyna lais Iolo'n ei alw fe'n ôl o'i freuddwydio. Roedd Iolo wrth y twll. Y tu mewn roedd y twll yn agor yn ogof fawr. Roedd yn bosibl pasio'r twll heb wybod am yr ogof y tu mewn. Roedd Iolo'n galw,—

'Gwenllian! Gwenllian! Ydych chi yma?'

Fe arhosodd e am ychydig a fe ddaeth Ifor ato fe.

'Maen nhw'n cysgu,' meddai Iolo.

'Os ydyn nhw yma o gwbl,' meddai Ifor yn drist.

'O, ydyn, maen nhw yma,' atebodd Iolo, 'neu maen nhw wedi bod yma. Mae gwynt mwg yma. Mae tân wedi bod yma.'

Dyma fe'n codi ei lais.

'Gwenllian! Ydych chi yma?'

Yna fe glywodd y ddau Gymro sŵn rhywun yn symud yn yr ogof.

'Gwenllian!' gwaeddodd Iolo. Fe atebodd llais o'r diwedd.

'Iolo! Iolo! Rydych chi wedi dod yn ôl. O, diolch! Diolch! Ble rydych chi wedi bod? Beth ddigwyddodd i chi? O, Iolo, dewch i mewn i'r ogof. Mae'r plant a Nest yma'n ddiogel. Ydy Ifor gyda chi?'

Roedd y cwestiynau'n neidio oddi ar dafod Gwenllian. Mewn fflach roedd Iolo wedi neidio i mewn i'r twll ag i'r ogof a roedd Gwenllian yn ei freichiau fe.

'Fe alwais i dair gwaith, Gwenllian. Oeddech chi ddim yn clywed?' gofynnodd Iolo.

'Roedden ni'n cysgu, ag yn cysgu'n drwm. Rydyn ni wedi bod yn aros ddydd a nos amdanoch chi, ond o'r diwedd

mwg *smoke*

roedd rhaid i ni gysgu. O, Iolo, mae'n dda eich cael chi'n ôl. Beth ddigwyddodd. . . . Ond ble mae Ifor? Oes rhywbeth wedi digwydd iddo fe, Iolo?' gofynnodd Gwenllian yn ofnus.

'Dyma fi, Gwenllian,' meddai Ifor gan ddod drwy'r twll i'r ogof. 'Mae Nest yma?'

'Ydy,' meddai llais arall yn yr ogof dywyll. 'Dyma fi, Ifor.'

A dyna'r ddau ym mreichiau ei gilydd mewn byr amser.

Dau ŵr a dwy wraig hapus iawn oedd yn yr ogof ar ben y mynydd mawr wedyn . . .

Yn fuan, fe ddeffrodd plant Iolo — y tri ohonyn nhw — wrth glywed sŵn y lleisiau hapus. Mewn munud roedden nhw'n dawnsio o gwmpas eu tad.

Ar ôl y croeso cynta, gofynnodd Iolo,—

'Oes bwyd gyda chi yma? Mae Ifor a fi wedi cerdded o Gaerdydd. Rydyn ni bron â llwgu.'

'Wedi cerdded o Gaerdydd?' gofynnodd Nest. 'Ble mae eich merlod chi?'

'Mae'r Normaniaid wedi eu dwyn nhw, ond dim rhagor o gwestiynau nawr. Bwyd yn gynta,' atebodd Ifor, 'a wedyn, fe fyddwn ni'n adrodd y stori i gyd wrthoch chi.'

Ond roedd rhaid i Nest ofyn un cwestiwn arall.

'Sut roeddech chi'n gwybod ble roedden ni. Pam daethoch chi i'r ogof yma?'

'Bwyd yn gynta,' meddai Ifor yn llon. 'Y stori wedyn. Oes bwyd gyda chi?'

'Oes. Fe ddaethon ni â bwyd a rhedeg yma pan welon ni'r Normaniaid yn dod i fyny'r cwm. Maen nhw wedi dwyn ein cartref ni nawr, Ifor.'

'Does dim cartref yno nawr, Nest. Rydw i wedi llosgi'r lle am bennau'r milwyr meddw a Roland y Blaidd.'

'Wedi llosgi'n cartref ni, Ifor? Chi?' meddai Nest yn syn.

'Ydw, Nest. Ond bwyd nawr. Mae hi'n goleuo'n gyflym y tu allan. Dewch nawr, a wedyn fe fyddwn ni'n gallu

pam *why*

mynd i hela ar ôl bwyta a chael awr neu ddwy o gysgu,' meddai Ifor.

Yn fuan roedd pawb yn eistedd ar lawr yr ogof ag yn bwyta, ag Ifor a Iolo'n adrodd eu hanes yn y castell ag yn y dwnsiwn yng Nghaerdydd. A hanes Roland y Blaidd hefyd. Fe ddangosodd Ifor a Iolo y ddau gleddyf iddyn nhw. Cwmni llon iawn oedd yn yr ogof . . .

Ar ôl bwyta, cysgu. Fe gysgodd Ifor a Iolo am rai oriau. Roedd yr haul yn uchel uwchben pan ddeffrodd Ifor o'r diwedd. Roedd storm y nos wedi mynd heibio.

Fe edrychodd Ifor o gwmpas yr ogof. Doedd neb arall yno, dim ond Iolo. Roedd e'n cysgu o hyd.

'A dyma ein cartref ni nawr,' meddyliodd Ifor. 'Yr ogof yma! Ond ble rydyn ni'n mynd i gael digon o fwyd?'

Doedd dim llawer o anifeiliaid i'w cael mor uchel â hyn ar y mynydd. Adar? Oedd, roedd rhai adar. Ond beth am ŷd neu geirch? Roedd yn amhosibl tyfu ŷd i wneud bara ar y mynydd uchel. 'Fe fydd rhaid i ni fynd i lawr i'r cwm a dwyn ŷd o sguboriau'r Normaniaid. Ein hŷd ni'r Cymry ydy e. Fe fydd rhaid i ni ei ddwyn e'n ôl . . . a'n hanifeiliaid ni hefyd.'

Yna, fe ddaeth syniad sydyn i ben Ifor. Roedd yr Iarll Wiliam yn cael bywyd braf yn ei gastell. Roedd e'n cael digon o fwyd. Roedd y castell yn gynnes. Roedd yr Iarll yn mynd allan i hela nawr ag yn y man, ond mynd er mwyn sbort roedd e. Ond roedd Ifor a Iolo a'r Cymry eraill yn hela er mwyn cael bwyd i fyw.

'Mae rhaid i'r Iarll Wiliam gael blas ar fyw mewn ogof. Fe fydd e'n gwybod sut mae rhaid i ni fyw wedyn. Fe fydd rhaid ei gael e yma . . . i'r ogof yma i fyw. Ei wraig a'i fab hefyd. . . . Na, dim i'r ogof yma. Mae hon yn rhy dda iddo fe. Fe fydd Ogof yr Eryr yn ddigon da iddo fe.'

Roedd Ogof yr Eryr chwarter milltir i ffwrdd a roedd y gwynt yn chwythu'n oer drwyddi hi bob amser.

sgubor(iau) *barn(s)*
syniad *idea*
cael blas ar *to get a taste of*

'Ie, dyna'r syniad. Fe fydd rhaid i ni gipio'r Iarll a'i wraig a'i fab o'u castell a mynd â nhw i Ogof yr Eryr i fyw. Ond sut?' Doedd Ifor ddim yn gwybod sut . . . eto. Roedd rhaid iddo fe feddwl am gynllun. Roedd e'n siŵr o feddwl am gynllun cyn hir. 'Fe fydd hi'n braf gweld yr Iarll a'i deulu'n crynu yn eu hogof yn y gwynt a'r glaw.'

Fe gododd Ifor o'r diwedd a mynd at ei gyfaill a'i ysgwyd e. Roedd e, Iolo, yn cysgu fel mochyn ag yn rhochian fel mochyn hefyd.

'Deffrwch,' gwaeddodd Ifor yng nghlust ei gyfaill. 'Mae'r haul yn uchel a mae rhaid i ni chwilio am fwyd.' A dyma fe'n ysgwyd Iolo unwaith yn rhagor.

Fe neidiodd Iolo ar ei draed.

'Na! Na!' gwaeddodd e, a stopio'n sydyn. 'Chi, Ifor, sy yna. Roeddwn i'n breuddwydio. Roeddwn i'n ôl yn y dwnsiwn, a roedd dau filwr yn dod ata i a chyllyll yn eu dwylo. Fe gydiodd un ynof i. Roedd e'n mynd i dorri fy nhafod.'

'Fi gydiodd ynoch chi, Iolo,' chwerthodd Ifor. 'Dewch, gyfaill, mae rhaid i ni fynd i chwilio am fwyd. Does dim rhagor o fwyd yma. Rydyn ni — na, rydych chi a'ch bola mawr — wedi bwyta'r cwbl.'

Roedd gwên ar wyneb Ifor. Fe edrychodd Iolo'n graff arno fe.

'Beth sy'n bod, Ifor? Rydych chi'n edrych yn llon iawn y bore yma,' meddai Iolo. 'Sut rydych chi'n gallu bod mor llon ar ôl colli eich cartref?'

'Roeddwn i'n meddwl am rywun arall yn byw mewn ogof, Iolo.' A fe aeth Ifor allan drwy dwll yr ogof. Doedd Iolo ddim yn hir cyn ei ddilyn e. Roedd cleddyf y Norman yn ei law e.

cipio *to snatch, to kidnap*
crynu *to shiver, to tremble*
y cwbl *the lot, all*

8

Cynllun Newydd

Y TU allan i'r ogof roedd Nest a Gwenllian yn brysur yn gwneud bara ceirch. Na, doedd Iolo ddim wedi bwyta'r cwbl o'r bwyd. Roedd ychydig o geirch eto ar ôl gyda'r ddwy wraig.

Ar y graig fawr o flaen twll yr ogof roedd Rhodri ap Iolo'n sefyll ag yn gwylio am filwyr. Roedd Rhodri'n bymtheg oed ag yn dal a chryf fel ei dad. Roedd e wedi cynnau'r tân i'w fam a Nest, a nawr roedd e'n gwylio'n ofalus am Normaniaid. Doedd e ddim yn debyg o weld unrhyw un mor uchel i fyny'r mynydd â hyn, ond roedd rhaid bod yn ofalus. Roedd bwa a saeth gyda fe yn ei law.

'Ble rydych chi'n mynd?' gwaeddodd Rhodri o ben y graig pan welodd e ei dad ag Ifor yn dod allan o dwll yr ogof.

'Rydyn ni'n mynd i chwilio am fwyd,' atebodd ei dad. 'Ond arhoswch chi yma i wylio am Normaniaid.'

'Ydych chi'n mynd i lawr i'r goedwig i hela?' gofynnodd Rhodri wedyn.

Roedd Rhodri wrth ei fodd yn hela, ond meddai Ifor,—

'Dydyn ni ddim yn mynd i hela nawr, Rhodri. Rydyn ni'n mynd i lawr at fy hen gartref i. Mae ŷd a cheirch mewn caban yn y coed yn agos i'r hen dŷ. Fydd y milwyr ddim wedi mynd â'r ŷd yna, rydw i'n siŵr. Roedden nhw'n rhy feddw neithiwr i wneud dim, ag erbyn hyn, maen nhw wedi dianc i lawr y mynydd i dref Caerdydd, mae'n debyg.'

gwylio *to watch*
cynnau *to light (a fire)*
wrth ei fodd *in his element, delighted*
neithiwr *last night*

Ond yn fwy na dim, roedd Ifor eisiau siarad â Iolo. Roedd y syniad o gipio'r Iarll a'i deulu a'u cario nhw i fyny i'r mynydd i fyw yn troi ag yn troi yn ei feddwl e. Roedd rhaid iddo fe daro ar gynllun, ond doedd dim cynllun wedi dod i'w ben e eto. Ond roedd un yn siŵr o ddod . . . yn siŵr o ddod. Ond yn gynta roedd rhaid mynd i weld yr hen gartref.

Fe gerddodd Ifor a Iolo'n gyflym y pedair milltir i lawr ochr y mynydd a'u llygaid yn gwylio bob munud am unrhyw filwr. Ond welon nhw neb. O'r diwedd, dyma nhw'n cyrraedd hen gartref Ifor. Roedd mwg yn codi'n araf o goed y tŷ o hyd, a roedd golwg drist dros bob peth. Roedd golwg drist ar wyneb Ifor hefyd. Dyma'r lle roedd e wedi bod mor llon a hapus — mor llon a hapus a rhydd gyda'i gyfeillion cyn i'r Normaniaid balch a chreulon ddod i ladd a dwyn.

Ond, oedd Roland y Blaidd a'i filwyr wedi dianc cyn cael eu dal gan y fflamau? Fe chwiliodd Ifor a Iolo drwy'r lle i gyd. Oedden, roedden nhw i gyd wedi dianc. I gyd? Na! Dyna un milwr yn gorwedd dan bolyn mawr trwm. Roedd e wedi bod yn rhy feddw i symud y polyn, a roedd ei gyfeillion wedi dianc a'i adael e yno i losgi i farwolaeth. Roedd rhaid i Ifor droi ei ben i ffwrdd — doedd e ddim yn gallu edrych ar y dyn . . .

'Fe fydd Roland y Blaidd yn dod i chwilio am y milwr yma,' meddai Iolo. 'Fe fydd e'n dod i chwilio amdanon ni hefyd.'

'Bydd, ond fe fydd eisiau byddin o filwyr i chwilio'r mynyddoedd yma i gyd. Mae llawer o filwyr gyda'r Iarll Wiliam a gyda Roland y Blaidd, ond does dim byddin ddigon mawr gyda nhw i chwilio'r mynyddoedd yma a gofalu am dref Caerdydd hefyd. Os byddan nhw'n anfon eu milwyr i chwilio'r mynyddoedd, fe fydd Cymry'r dref a'r cymoedd yn codi ar unwaith ag yn ymosod ar y castell. Fe fyddan nhw'n llosgi'r castell i'r llawr. Does dim rhaid i ni

polyn *pole, beam*
llosgi i farwolaeth *to burn to death*
byddin *army*
ymosod ar *to attack*

ofni, Iolo. Rydyn ni'n ddigon diogel yma ar y mynydd . . .' Stopiodd Ifor yn sydyn. Roedd e'n dawel am funud. Fe edrychodd Iolo arno fe.

'Beth sy'n bod, Ifor? Rydych chi wedi mynd yn dawel yn sydyn iawn.'

'Ie, dyna fe! ' Siarad â'i hun roedd Ifor. 'Mae rhaid i ni gael help Cymry'r dref.'

'Am beth rydych chi'n sôn, Ifor? ' gofynnodd Iolo. 'Dydw i ddim yn eich deall chi o gwbl.'

'Nag ydych, rydw i'n gwybod. Ond rydw i wedi cael syniad, Iolo,' atebodd Ifor.

'Syniad? Fe gawsoch chi'r syniad o fynd i weld yr Iarll yn ei gastell, ond beth ddigwyddodd i ni? Fe gawson ni ein taflu i'r dwnsiwn oer gwlyb yna dan y castell, heb ddigon o fwyd, am dri diwrnod a dwy noson,' meddai Iolo gan ysgwyd ei ben. 'Mae'r syniad newydd yma'n syniad gwell, gobeithio. Beth ydy'r syniad, Ifor? '

Roedd Iolo'n barod i wrando beth bynnag!

'Yn fyr, cipio'r Iarll a'i deulu a'u cario nhw i fyny i'r mynyddoedd yma i fyw mewn ogof,' atebodd Ifor. 'Fe fydd yr Iarll yn fwy parod i wrando arnon ni wedyn ar ôl cael blas ar fyw mewn ogof oer yn y gwynt a'r glaw, a heb hanner digon o fwyd.'

'Ho-ho-ho-! ' chwerthodd Iolo. 'O, Ifor! Ifor! '

'Chwerthin am fy mhen i rydych chi? ' gofynnodd Ifor yn ddig.

'Ie, Ifor. O, rydych chi'n ffôl. Roedd y syniad o fynd i'r castell i siarad â'r Iarll yn un ffôl, fel dywedais i ar y pryd, ond mae'r syniad newydd yma . . . wel, chlywais i ddim byd mwy ffôl erioed. Cipio'r Iarll o'i gastell? Na! Mae'r milwyr fel chwain o gwmpas y lle. Dewch i chwilio am y caban yn y coed, ac anghofiwch am y cynllun newydd yma. Mae'r peth yn amhosibl — yn gwbl amhosibl.'

'Nag ydy! ' atebodd Ifor a'i lygaid yn fflachio. 'Dydy e ddim yn amhosibl. Rydw i'n gwybod sut i fynd i mewn i'r

fe gawson ni ein taflu *we were thrown*
ar y pryd *at the time*
erioed *ever*
chwain *fleas*

castell a chipio'r Iarll, ond mae rhaid i ni gael help Cymry'r dref yn gynta.'

'Cymry'r dref? Does neb mwy dewr na nhw. Maen nhw'n barod i godi ag ymosod ar y castell unrhyw bryd, dim ond cael y siawns. Ond fel dywedais i, mae'r dref yn llawn o filwyr.'

'Fydd dim rhaid i Gymry'r dref ymosod ar y castell o gwbl,' meddai Ifor. '*Ni* fydd yn ymosod.'

'Ni?'

'Ie, ni! Chi a fi . . . a thri neu bedwar arall . . . ym . . . Dafydd ab Iorwerth a Bleddyn ab Owain o Gwm Tridwr ag un neu ddau arall. Mae Dafydd a Bleddyn yn ddynion da a dewr. Fe fyddan nhw'n fodlon dod gyda ni. Dydy'r Normaniaid ddim wedi dwyn eu cartrefi nhw eto, ond fe fydd Roland y Blaidd yn ymosod ar eu cartrefi nhw cyn hir, mae'n debyg. Mae e wedi dwyn tir pawb bron nawr.'

'Wel, fydda i ddim yn ymosod ar y castell,' meddai Iolo.

'Gwrandewch, Iolo! Fe fydd chwech ohonon ni'n ddigon i ymosod ar y castell a chipio'r Iarll a'r Iarlles a'r mab.'

Ysgydwodd Iolo ei ben.

'Na . . . Na, Ifor. Rydych chi'n siarad yn ffôl. Mae milwyr ar bob mur o'r castell, a fel dywedais i, maen nhw fel chwain o gwmpas y dref. Yn y dydd ag yn y nos. A mae arfau gyda nhw. Fe fyddwn ni'n cael ein torri i lawr fel . . . fel cae o ŷd.'

'Pan fyddwn ni'n ymosod ar y castell, Iolo, fydd dim milwyr yno. Wel, dim ond ychydig. Dim ond ychydig lle byddwn ni'n ymosod a fyddan nhw ddim yn ein gweld ni.'

Edrychodd Iolo'n hir ar ei gyfaill.

'Mae eich pen chi'n llawn o driciau a chynlluniau, rydw i'n gwybod, Ifor. Mae rhai ohonyn nhw'n rhai da, ond eraill . . . wel, fe fydda i'n cofio'r dwnsiwn yna am byth. Ond . . . ym . . . beth ydy'r cynllun newydd yma? Ydy e'n un o'r rhai da?'

Atebodd Ifor ddim o'r cwestiwn, dim ond gofyn cwestiwn arall.

unrhyw bryd *any time*
ychydig *a few, a little*
arfau *arms, weapons*

'Pryd bydd y lleuad lawn nesa, Iolo?'

'Y lleuad lawn nesa? Beth sy gyda'r lleuad i wneud ag ymosod ar y castell?'

'Fe fydd yn amhosibl ymosod ar y castell yn y dydd. Fe fydd rhaid i ni ymosod yn y nos, ond mae rhaid i ni gael golau hefyd,' atebodd Ifor.

'A! Rydw i'n deall, Ifor. Fe fyddwn ni. . . . Yr amser gorau i ymosod ydy pan fydd y lleuad yn llawn.'

'Na, dim pan fydd y lleuad yn llawn, ond wythnos cyn y lleuad lawn. Fyddwn ni ddim eisiau gormod o olau, Iolo.'

'Wel, mae'r lleuad yn llawn nawr . . . yr wythnos yma.'

'Da iawn. Mae tair wythnos gyda ni i baratoi.'

'Gyda *ni* i baratoi?'

'O, fe fyddwch chi'n dod gyda fi, Iolo.'

'Bydda, mae'n debyg,' atebodd Iolo a rhyw wên fach ar ei wyneb e.

'Da iawn. Fe fydd rhaid i ni fynd i weld Dafydd ab Iorwerth a Bleddyn o Gwm Tridwr. A phwy arall, Iolo?'

'Beth am Llewelyn Gwargam a Rhys ap Dewi o Gwm y Fan? Dyna ddau arall.'

'Dyna ni! Fe fydd y chwech ohonon ni'n ddigon i ymosod ar y castell a chipio'r Iarll a'i deulu a'u cario nhw i Ogof yr Eryr,' meddai Ifor yn llon.

'Ogof yr Eryr? Dyna le da i gadw'r Iarll. Mae'r lle mor oer . . . mor oer â chalon Norman. Ond mae rhaid i ni wneud un peth bach cyn cario'r Iarll i'r ogof, Ifor.'

'Beth ydy hwnna?'

'Ei gael e allan o'r castell,' chwerthodd Iolo.

'O, fe fyddwn ni'n gwneud hynny . . . gyda help Cymry'r dref, a rhai o Gymry'r cymoedd,' atebodd Ifor.

'Beth fyddan nhw'n wneud i helpu, Ifor?'

'Cynnau tanau a chadw sŵn. Dyna i gyd.'

'Dyna i gyd? A! Arhoswch chi nawr. Rydw i'n dechrau gweld beth sy yn eich meddwl chi, Ifor. Fe fydd Cymry'r dref yn cynnau tanau i dynnu sylw'r milwyr, a fe fyddwn i, y chwech ohonon ni'n dringo . . . yn dringo . . .'

lleuad lawn *full moon*
paratoi *to prepare*
cadw sŵn *to make a noise*
dyna i gyd *that's all*

‘Dros y muriau i mewn i’r castell, Iolo.’

‘Dyna syniad! Mae rhaid i ni fynd i weld Dafydd a Bleddyn . . .’

‘A Llywelyn Gwargam a Rhys ap Dewi yn gynta. Fe fydd rhaid i ni fynd i lawr i’r dref unwaith neu ddwy i siarad â’r Cymry yno hefyd.’

Chwerthodd Iolo’n dawel.

‘Ydych chi’n cofio addo rhywbeth i’r milwr yna yn y castell ar ôl dod yn rhydd o’r dwnsiwn, Ifor?’

‘Addo? Addo beth?’

‘Addo aros yn y mynyddoedd!’

‘O, na! Addewais i ddim. Dim ond dweud, “Yn y mynyddoedd mae ein cartrefi ni.” Rydw i’n cofio’n iawn beth ddywedais i.’

‘Wel, mae dyddiau prysur o’n blaen ni, Ifor . . .’

‘A llawer noson brysur achos dim ond yn y nos byddwn ni’n gallu mynd i weld Cymry’r dref. Fe fydd rhaid i ni fynd i’w gweld nhw yn eu bythynnod. Fyddwn ni ddim eisiau tynnu sylw aton ni’n hunain. Ond nawr, bwyd, Iolo. Dewch i weld beth sy yn y caban yn y coed, os oes rhywbeth yno o gwbl,’ meddai Ifor.

Fe aeth y ddau i chwilio yn y caban. Oedd, roedd ychydig o geirch yno . . .

tynnu sylw *to draw attention*
addewais i ddim *I promised nothing*
bythynnod *cottages*

9

Dynion i Helpu

Tair wythnos brysur iawn oedd y tair wythnos nesa i Iolo ag Ifor. Ond roedden nhw'n fwy prysur yn y nos nag yn y dydd. Roedden nhw'n ceisio hela yn y dydd am rai oriau, ond doedd dim llawer o anifeiliaid mor uchel ar y mynydd. Felly, roedd rhaid iddyn nhw fynd i lawr i'r goedwig. Roedd digon o anifeiliaid gwyllt yn y goedwig, ond roedd cwmnïau o Normaniaid yn aml yn hela yn y goedwig hefyd, a roedd rhaid i Ifor a Iolo wylio'n ofalus bob amser. Fwy nag unwaith roedd rhaid iddyn nhw guddio'n sydyn pan oedden nhw'n clywed milwyr yn dod yn agos.

Mewn cwmnïau roedd y Normaniaid yn hela bob amser. Doedd dim un Norman byth yn mentro i'r goedwig ar ei ben ei hun. Roedd un neu ddau wedi mentro pan ddaethon nhw gynta i'r wlad, ond ddaeth dim un allan o'r goedwig yn fyw!

Yn y dydd hefyd, roedd Ifor a Iolo'n cysgu am rai oriau, ond yn y nos roedden nhw'n cerdded milltiroedd i lawr i'r cymoedd lle roedd sguboriau'r Normaniaid yn llawn o ŷd a bwyd o'r caeau. Roedd crwyn anifeiliaid yn y sguboriau hefyd, a roedd eisiau crwyn fel gwelyau yn yr ogof. Lawer noson fe gyrhaeddodd Ifor a Iolo yn ôl i'r ogof pan oedd hi'n dechrau goleuo gyda sach yn llawn o ŷd ar eu cefnau neu fwndel o grwyn anifeiliaid. Roedd cŵn yn rhedeg atyn nhw weithiau, ond doedd neb yn well na Iolo am wasgu'r bywyd allan o gi â'i ddwylo cryf. Cŵn y Normaniaid oedden

ar ei ben ei hun *on his own*
fe gyrhaeddodd Ifor *Ifor arrived*
crwyn *skins*
sach(au) *sack(s)*
bwndel *bundle*

nhw, a felly, roedd hi'n deg eu lladd nhw. Roedd Iolo'n hoff o gŵn, *ond* pan oedden nhw'n ymosod arno fe! Roedd e'n gwasgu ei fysedd am eu gwddw nhw, a Wach! Dyna'u diwedd nhw!

Un noson, fe gerddodd y ddau gyfaill y saith milltir dros Fynydd Ilan i Gwm Tridwr i siarad â Dafydd ap Iorwerth a Bleddyn ab Owain. Fe alwon nhw yng nghartref Dafydd ag yna, i ffwrdd â'r tri i gartref Bleddyn. Fe wrandawodd y ddau, Bleddyn a Dafydd, ar gynllun Ifor a'u cegau ar agor. Roedd y ddau wrth eu bodd ag yn barod i fentro popeth i ddial ar y Normaniaid. Oedden, roedden nhw'n barod i ddod gydag Ifor a Iolo, yn barod i fentro'u bywydau.

Pan droiodd Ifor a Iolo tuag adref ar ôl siarad â'r ddau, nid cerdded roedden nhw, ond roedd merlyn bob un gyda nhw nawr.

Noson neu ddwy wedyn, fe aeth Ifor a Iolo ar gefn eu merlod newydd dros y mynydd y ffordd arall i Gwm y Fan lle roedd Llewelyn Gwargam a Rhys ap Dewi'n byw. Roedd Rhys yn digwydd bod yng nghartref Llewelyn ar y pryd.

Ar y dechrau doedd Llewelyn ddim yn fodlon mentro gydag Ifor a Iolo a'r ddau arall o Gwm Tridwr. Doedd e ddim yn hoffi'r syniad o gwbl, ond ar ôl clywed y cynllun i gyd, roedd e'n fwy parod a bodlon. Roedd Rhys ap Dewi wrth ei fodd fel y ddau o Gwm Tridwr. Roedd e'n gallu gweld yr Iarll a'r Iarlles yn crynu ar eu gwely o grwyn yn yr ogof.

'Mae hi'n ffordd ardderchog i ddial ar yr Iarll,' meddai fe gan chwerthin yn iach. Doedd dim ofn arno fe i fentro dros furiau castell Caerdydd. Ond doedd Llewelyn Gwargam ddim mor siŵr. Dim ond chwech ohonyn nhw i ymosod ar y castell? Roedd y peth yn amhosibl. Roedd rhaid cael byddin fach o Gymry, ond pan alwodd Rhys e'n daeog, fe gochodd ei wyneb e.

ond, here it means *except*
dial *to have revenge*
ardderchog *excellent*

'O'r gorau,' meddai fe, 'fe fydda i'n dod gyda chi. Does neb yn fy ngalw i'n daeog.'

'Rydych chi'n rhoi eich gair?' gofynnodd Ifor.

'Ydw, a dydw i ddim byth yn torri fy ngair,' atebodd Llewelyn a'i wyneb e'n goch. Roedd yn ddrwg gyda fe nawr am ddweud 'Na' ar y dechrau. 'Ond dywedwch y cynllun eto,' meddai fe.

'Fe fydd Iolo a fi'n mynd i lawr i Gaerdydd yr wythnos nesa a fe fyddwn ni'n mynd o gwmpas bythynnod y Cymry yno. Fe fydd rhaid i ni fynd yn y nos, wrth gwrs. Fe fydd hi'n rhy beryglus i ni fynd yn y dydd.'

'Peryglus neu beidio, rydw i'n barod i ddod gyda chi, Ifor, i Gaerdydd unrhyw nos,' meddai Rhys ap Dewi.

'Diolch i chi, Rhys, ond fe fydd y ddau ohonon ni'n ddigon. Fe fydd Iolo a fi'n gofyn i Gymry'r dref gynnau tanau y tu allan i'r dref a'r castell, a chadw sŵn er mwyn tynnu sylw'r milwyr, a fe fyddwn ni'n dringo'r muriau i mewn i'r castell.'

'Sut byddwn ni'n dringo'r muriau?' gofynnodd Llewelyn Gwargam.

'Fe fyddwn ni eisiau ysgol fawr, hir, ond fe fyddwn ni'n gwneud yr ysgol yn dair rhan. Fe fydd Iolo a fi'n gwneud un rhan. Rydyn ni wedi gofyn i Dafydd ap Iorwerth a Bleddyn ab Owain o Gwm Tridwr i wneud yr ail ran, a fe fyddwch chi a Rhys yn gwneud y drydedd ran. Fe fyddwch chi a Rhys yn cario'ch rhan chi o'r ysgol i lawr i Bont y Wenallt y tu allan i'r dref. A hyn i gyd ar y seithfed noson cyn y lleuad lawn nesa,' meddai Ifor.

'Rydw i'n gweld,' meddai Rhys ap Dewi. Roedd e mor hapus â'r gog! 'Fe fydd ein rhan ni o'r ysgol yn barod mewn pryd, Ifor.'

'Da iawn, Rhys. Fe fydd Iolo a fi a'r cyfeillion o Gwm Tridwr yn aros amdanoch chi wrth Bont y Wenallt. Fe fyddwn ni'n gwneud un ysgol fawr o'r tair rhan, a wedyn,

peryglus *dangerous*
ysgol *ladder*
yn dair rhan *in three parts*
a hyn i gyd *and all this*

fe fydd hi'n ddigon hir i gyrraedd pen y mur. Yna, ganol nos, pan fydd Cymry'r dref yn cynnau eu tanau, fe fyddwn ni'n rhedeg gyda'r ysgol at wal y castell ag i fyny â ni. Mae'r cynllun mor syml â . . . mor syml â dwyn ŷd o sguboriau'r Normaniaid.'

Fe chwerthodd Ifor a Iolo wrth feddwl am eu 'gwaith nos' yn dwyn yr ŷd a'r crwyn dan drwynau'r milwyr. Ond doedd Llewelyn ddim yn chwerthin.

'Ydy, mae'r cynllun yn un syml, ond mae e'n beryglus hefyd.'

'Ond dydy e ddim yn rhy beryglus i Gymro dewr fel chi, Llewelyn,' meddai Ifor. 'Ydy e, Llewelyn Gwargam? Ydy e'n rhy beryglus i chi?'

Roedd ei lygaid craff yn chwilio wyneb Llewelyn yn ofalus.

'Dydyn ni ddim eisiau bradwr gyda ni, Llewelyn Gwargam,' meddai fe.

'Dydw i ddim yn fradwr, Ifor ap Meurig,' atebodd Llewelyn a'i wyneb e'n goch.

Gwenodd Ifor arno fe.

'Nag ydych, dydych chi ddim yn fradwr,' meddai fe. 'Roedd Owain Meilyr yn fradwr. Rydych chi'n gwybod beth ddigwyddodd iddo fe wedyn. Bwyd i'r cŵn oedd e pan gafodd bechgyn y Morlais eu dwylo arno fe,' meddai Ifor yn dawel a'r wên ar ei wyneb e o hyd.

'O, ie,' meddai Ifor wedyn, 'fe fyddwch chi eisiau arfau, wrth gwrs. Cyllell neu ddagr. Dagr ydy'r gorau. Fe fydd un neu ddau o filwyr ar ein ffordd, mae'n siŵr, a fydd dim byd gwell na dagr i'w cael nhw . . . ym . . . allan o'r ffordd.'

Chwerthodd Rhys ap Dewi a rhwbio'i ddwylo. Oedd, roedd e wrth ei fodd.

'Fydd dim byd yn rhoi mwy o bleser i fi na phlannu dagr ym mola rhyw Norman,' meddai fe.

'Fe fyddwn ni eisiau rhaffau hefyd,' meddai Ifor heb gymryd dim sylw o Rhys. 'Felly, dewch â rhaffau i rwymo

ganol nos *at midnight*
bradwr *traitor*
rhaff(au) *rope(s)*

tair rhan yr ysgol wrth ei gilydd . . . ag wrth gwrs, i rwymo'r Iarll a'r Iarlles a'r mab.'

Edrychodd Ifor ar y tri arall yn y cwmni.

'Ydy popeth yn glir?' meddai fe.

'Ydy, mae popeth yn glir,' meddai Rhys ap Dewi, ond roedd cwestiwn gyda Llewelyn Gwargam.

'Sut byddwn ni'n mynd o Gwm y Fan yma i lawr i'r Wenallt?'

'Ar eich merlod, wrth gwrs. Dydych chi ddim yn meddwl cerdded y milltiroedd o Gwm y Fan i lawr i Gaerdydd, a chario'r ysgol hefyd?' meddai Ifor. 'A fe fydd eisiau'r merlod i gario'r Iarll a'i deulu yn ôl i'r mynyddoedd. Fe fydd rhaid i ni symud yn gyflym.'

'Ble byddwch chi'n cadw'r Iarll ar ôl ei gipio fe o'r castell, os byddwn ni yn ei gipio fe hefyd?' gofynnodd Llewelyn wedyn.

'Yn un o'r ogofâu yn y mynydd,' atebodd Ifor. 'A mae digon ohonyn nhw. Ond dydyn ni ddim yn dweud pa un . . . wel, ddim eto, rhag ofn.'

'Rhag ofn beth?' gofynnodd Llewelyn Gwargam.

'Rhag ofn . . . bradwr?' meddai Ifor gan edrych yn graff arno fe. 'Ond dyna ni nawr. Fe fyddwn ni i gyd wrth Bont y Wenallt ganol nos ar y seithfed nos cyn y lleuad lawn nesa. A fe fydd yr ysgol a'r rhaffau gyda chi, Rhys a Llewelyn.'

'Byddan, a dagr,' meddai Rhys.

'A dagr,' meddai Ifor gan wenu . . .

rhwymo *to tie, to bind*
ogofâu *caves*
pa un *which one*
rhag ofn *for fear of, in case of*

10

Cymry'r Dref

AR eu ffordd yn ôl dros y mynydd i Ogof Pen Mynydd, meddai Iolo wrth Ifor,—

'Mae arna i ofn Llewelyn Gwargam.'

'Chi enwodd e, Iolo.'

'Ie, fi enwodd e, ond mae arna i ofn nawr. Fe fydd e'n troi'n fradwr.'

'Na fydd, dydw i ddim yn credu. Mae e'n gwybod beth ddigwyddodd i Owain Meilyr. Fe fydd rhywbeth tebyg yn digwydd iddo fe hefyd os bydd e'n troi'n fradwr. Na, fe fydd yn well gyda fe fentro'i fywyd ar waliau castell Caerdydd na syrthio i ddwylo bechgyn Cwm y Fan, os bydd e'n troi'n fradwr. Mae bechgyn Cwm y Fan mor wyllt â bechgyn y Morlais — y rhai mwya gwyllt ym Morgannwg i gyd. Na, fydd Llewelyn Gwargam ddim yn troi'n fradwr . . . nawr!'

'Na fydd, gobeithio.'

'Nos yfory, Iolo,' meddai Ifor wedyn, 'fe fyddwn ni'n mynd i Gaerdydd. Mae rhaid i ni gael help Cymry'r dref neu fydd ein cynllun ni ddim yn gweithio. Fe fyddwn ni yno am ddwy neu dair noson.'

'Beth fydd yn digwydd i Gwenllian a Nest pan fyddwn ni yng Nghaerdydd, Ifor?' gofynnodd Iolo.

'Fe fyddan nhw'n ddigon diogel yn yr ogof, rydw i'n meddwl . . . wel, rydw i'n gobeithio. Does neb bron yn cerdded Pen Mynydd, dim Normaniaid, beth bynnag.'

'Cofiwch, Ifor, maen nhw'n cynnau tân y tu allan i'r ogof nawr, a felly, dydy'r lle ddim mor ddiogel,' meddai Iolo.

os *if*

'Nag ydy. Fe fydd rhaid i ni ddweud wrth ein gwragedd a Rhodri i wylio bob munud o'r dydd, ag os byddan nhw'n gweld milwr neu rywun yn dod, fe fydd rhaid iddyn nhw ddianc i Ogof yr Eryr. Mae llawer o dyllau y tu mewn i Ogof yr Eryr i guddio. Fe fydd rhaid iddyn nhw gadw crwyn yno'n barod rhag ofn. Mae digon o grwyn yn Ogof Pen Mynydd.'

'Oes,' meddai Iolo a chwerthin nerth ei ben. 'Beth mae'r Normaniaid yna'n meddwl, tybed, pan maen nhw'n colli eu hŷd a'u crwyn o'r sguboriau?'

'Mae rhyw Gymro bach yn cael ei gosbi, mae'n debyg. Ond fe fydd bywyd yn well i bawb pan fyddwn ni wedi cipio'r Iarll o'i gastell. Fe fydd rhaid iddo fe addo llawer i ni, neu yn Ogof yr Eryr bydd e am byth.'

'Fydd e'n cadw ei air, Ifor, ar ôl addo rhywbeth i ni?'

'Bydd, rydw i'n siŵr. Dyn balch ydy e, a Norman ydy e. Mae'r Normaniaid yn bobl greulon, rydyn ni i gyd yn gwybod, ond mae syniad uchel gyda nhw am bethau fel sifalri a chadw eu gair.'

'Sifalri?'

'Ie; mae rhaid i'r arglwyddi a'r bobl fawr bob amser ymladd yn ddewr a chadw eu gair. A felly, os bydd yr Iarll yn addo rhywbeth i ni, fe fydd e'n cadw ei air.'

'Wel, gobeithio,' meddai Iolo. Doedd e ddim yn rhy siŵr o'r Iarll Wiliam nag o unrhyw Norman arall.

Y noson wedyn fe gerddodd Ifor a Iolo yr holl ffordd i Gaerdydd. Roedd Iolo eisiau mynd ar gefn eu merlod, ond meddai Ifor,—

'Na, Iolo. Fe fyddwn ni yng Nghaerdydd am ddwy neu dair noson, a fe fydd y merlod yn siŵr o dynnu sylw. Mae'n rhy beryglus i fynd â nhw i mewn i'r dref.'

'Mae merlod a cheffylau yn y dref, Ifor.'

'Oes, ond merlod a cheffylau'r milwyr ydyn nhw. Does dim gyda'r Cymry. Ble byddwn ni'n cuddio'r merlod yn y

tyllau *holes*
sifalri *chivalry*
yr holl ffordd *all the way*

dydd? Dyna'r cwestiwn. Na, mae rhaid i ni gerdded yr holl ffordd, Iolo.'

'Wel, os ydych chi'n dweud, Ifor.'

Fe gerddon nhw yr holl ffordd o Ben Mynydd i Gaerdydd — un deg pedair o filltiroedd.

Roedd Ifor yn adnabod rhai o Gymry'r dref, ond doedd e ddim yn gwybod ym mha fythynnod roedden nhw'n byw. Felly, roedd rhaid mentro. Roedd perygl mynd i dŷ lle roedd bradwr yn byw — doedd *pob* Cymro ddim yn ddewr ag yn barod i godi yn erbyn y concwerwyr!

Fe aeth Ifor at ddrws un o'r bythynnod a churo. Fe agorodd y drws.

'Pwy sy yna?' meddai llais.

Mentrodd Ifor roi ei enw.

'Ifor ap Meurig, Arglwydd Senghennydd, ydw i.'

'Ifor Bach?' meddai'r llais o'r bwthyn. 'Dewch i mewn.'

'Mae cyfaill gyda fi yma hefyd,' atebodd Ifor.

'Dywedwch wrtho fe i ddod i mewn hefyd. Brysiwch!'

Fe gafodd Ifor a Iolo groeso mawr yn y bwthyn bach.

Brychan oedd enw'r gŵr yn y bwthyn. Yno roedd e'n byw gyda'i wraig a phedwar o blant bach. Roedden nhw'r plant yn cysgu ar wellt ar y llawr.

'Ydyn ni'n rhydd i siarad yma?' gofynnodd Ifor. 'Dydyn ni ddim wedi dod i dŷ bradwr?'

'Bradwr? Nag ydych!' meddai Brychan yn ddig. 'Does dim bradwr yn byw yn y tŷ yma. Rydw i fel y rhan fwya o Gymry'r dref yn barod i ymladd yn erbyn y Normaniaid cas unrhyw bryd.'

'Da iawn. Mae arnon ni eisiau help llawer o Gymry'r dref yma,' meddai Ifor.

'A rydych chi'n siŵr o'i gael e,' meddai Brychan. Fe welais i chi a'r dyn mawr yma . . .'

'Iolo ap Cynon.'

ym mha *in which*
perygl *danger*
brysio *to hurry*
unrhyw bryd *at any time*
y rhan fwya *the greater (greatest) part*

'Fe welais i chi yn mynd i mewn i'r castell. Fe welodd un o fy nghyfeillion chi'n dod allan o'r castell ar noson o wynt a glaw hefyd. Rydyn ni'n gwybod eich hanes i gyd yma . . . amdanoch chi'n llosgi eich cartref am bennau Roland y Blaidd a'i filwyr a phopeth. Nawrte, dywedwch pam rydych chi wedi dod yma heno. Mae arnoch chi eisiau ein help ni, Cymry'r dref, meddech chi,' meddai Brychan.

Mewn byr amser roedd Ifor wedi adrodd ei gynllun wrth Brychan . . . wel, rhan o'r cynllun. Roedd Brychan wrth ei fodd a roedd e'n barod i wneud popeth i helpu. Roedd e'n adnabod pawb bron o Gymry'r dref, a roedden nhw'n siŵr o fod yn fodlon gwneud unrhyw beth er mwyn dial ar y Normaniaid creulon.

Am dair noson wedyn roedd Brychan yn mynd ag Ifor a Iolo o fwthyn i fwthyn, a roedd croeso iddyn nhw ymhob un. Ar ôl y tair noson roedd dros dri deg o ddynion yn barod i helpu ar y noson fawr — noson yr ymosod ar y castell. Roedden nhw'n barod i wynebu unrhyw berygl er mwyn dial ar y Normaniaid.

Fe gyrhaeddodd Ifor a Iolo adref ar ôl y tair noson bron â llwgu. Roedden nhw wedi bod yn cuddio ym mwthyn Brychan yn y dydd, a doedd dim gormod o fwyd i'w gael yno — roedd eisiau llawer o fwyd i lanw boliau pedwar o blant! Roedd boliau'r plant yn fwy pwysig na boliau Ifor a Iolo, ond roedd Nest a Gwenllian yn eu disgwyl nhw, a roedd digon o fwyd yn Ogof Pen Mynydd — bwyd o sguboriau'r Normaniaid!

wynebu *to face* boliau *bellies*

11

Y Cynllun

Y SEITHFED noson cyn y lleuad lawn! Roedd Ifor a Iolo wedi gobeithio cael noson sych a chlir. Roedden nhw'n lwcus. Roedd yr awyr yn glir a doedd dim gwynt na dim glaw.

Roedd y ddau gyfaill wedi adrodd eu cynlluniau wrth Nest a Gwenllian a nawr roedd ofn yng nghalonnau'r ddwy. Ond roedden nhw'n gwybod yn dda, roedd rhaid gwneud rhywbeth fel hyn cyn cael eu cartrefi'n ôl, cyn cael heddwch yn y cymoedd a'r bryniau unwaith eto. Roedd Rhodri'n gwybod am y cynlluniau hefyd, a roedd e eisiau mynd gyda'i dad ag Ifor, ond dim lle i fachgen oedd muriau Castell Caerdydd y noson yma. A beth bynnag, roedd gwaith i Rhodri gartref i ofalu am ei fam a'r ddau blentyn arall.

Roedd popeth yn barod gydag Ifor a Iolo. Roedd yr ysgol yn barod, a'r rhaffau hefyd, a roedd dagr gyda'r ddau, a bwyd. Roedd noson hir o'u blaen nhw, a heb y bwyd roedden nhw'n siŵr o lwgu cyn cyrraedd yn ôl.

I ffwrdd â'r ddau ar eu merlod a Iolo'n cario'r ysgol ar ei ysgwydd i ddechrau. Roedd yr haul wedi disgyn dros Fynydd Cefn Glas, a roedd hi'n dechrau tywyllu. Fe edrychodd Nest a Gwenllian yn drist arnyn nhw'n mynd.

'Fyddan nhw'n ôl gartref cyn y bore?' meddai Gwenllian.

'Byddan,' atebodd Nest, ond roedd ei llais hi'n crynu.

sych *dry*
awyr *sky, air*
ysgwydd *shoulder*
haul *sun*
disgyn *to descend*
tywyllu *to get dark*

Roedd calonnau'r dynion yn curo'n gyflym a roedd fflach yn eu llygaid. O'u blaen nhw roedd y fenter fawr a doedd dim troi'n ôl nawr. Roedd y cynllun yn siŵr o weithio, dim ond i bawb wneud eu rhan.

Roedd hi'n dywyll fel bola buwch pan oedden nhw'n disgyn drwy'r goedwig, ond yna, dyna'r lleuad yn codi.

'Fe fydd digon o olau ganol nos,' meddai Ifor. 'Dyna'r lleuad. Mae hi'n gwenu'n garedig arnon ni.'

'Fydd hi'n gwenu arnon ni drwy'r nos, tybed?' gofynnodd Iolo.

Y dyn mawr, cryf, oedd y mwya ofnus o'r ddau!

Awr cyn canol nos roedden nhw wedi cyrraedd Pont y Wenallt. Roedden nhw'n lwcus iawn. Doedden nhw ddim wedi gweld un Norman ar y ffordd. Cuddiodd y ddau yng nghysgod coed yn agos at y bont. Doedd y dynion eraill ddim wedi cyrraedd eto, ond roedden nhw'n gwybod ble i ddod.

Ust! Dyna sŵn rhywun yn dod ar hyd y llwybr at y bont . . . un dyn ar gefn merlyn . . . Na, dau ddyn, a roedd un yn cario rhywbeth hir ar ei ysgwydd.

'Tŵ-hŵ!' Fe wnaeth Ifor sŵn fel tylluan.

Fe atebodd tylluan arall, 'Tŵ-hŵ!'

'Dyma Bleddyn a Dafydd,' meddai Ifor. 'Tŵ-hŵ!'

'Ifor a Iolo! Rydych chi yma,' meddai llais o'r hanner tywyllwch. Llais Dafydd ap Iorwerth.

'Ydyn. Dyma ni yng nghysgod y coed yma,' atebodd Ifor. 'Ydy popeth gyda chi?'

'Ydyn, a chadachau i rwymo am geg yr Iarll a'r Iarlles a'r mab,' meddai Dafydd.

Cadachau? Doedd Ifor na Iolo ddim wedi meddwl am gadachau!

'Da iawn, Dafydd. Fe fyddwn ni eisiau'r cadachau yna i gau eu cegau nhw!'

menter *venture*
yng nghysgod *in the shadow of*
llwybr *path*
tylluan *owl*
cadach(au) *cloth(s), rag(s)*

‘Tŵ-hŵ! ’ Dyna sŵn tylluan o’r ochr arall i’r bont fach.

Fe atebodd Ifor. ‘Tŵ-hŵ! Tŵ-hŵ! ’

Roedd Rhys ap Dewi a Llewelyn Gwargam wedi cyrraedd.

‘Da iawn,’ meddai Ifor. ‘Rydyn ni i gyd wedi cyrraedd. Welodd rhywun chi ar y ffordd? ’

Na. Roedd Dafydd a Bleddyn wedi dod yr holl ffordd o Gwm Tridwr, a Llewelyn a Rhys o Gwm y Fan, heb weld neb ar eu ffordd, na chlywed neb. Ond roedd llawer Cymro y tu ôl i lawer coeden o gwmpas y Wenallt — roedd Brychan wedi addo trefnu hynny, ac os oedd unrhyw Norman mor ffôl â mentro ymhell o’r castell y noson yma, roedd dagr rhyw Gymro’n ei aros e!

‘Nawr,’ meddai Ifor, ‘mae digon o amser gyda ni, a mae’n well i ni fwyta nawr. Mae noson hir o’n blaen ni, a fe fyddwn ni’n llwgu cyn cyrraedd yn ôl i’r ogof.’

Yna, tra oedden nhw’n bwyta, fe eglurodd Ifor wrthyn nhw beth roedd rhaid iddyn nhw wneud.

‘Gwrandewch yn ofalus,’ meddai Ifor. ‘Fe ddaeth Iolo a fi i lawr yma i Gaerdydd ag aros am dair noson i drefnu popeth. Fe gawson ni lawer o help gan Gymro o’r enw Brychan. Dydych chi ddim yn gwybod hyn, ond mae rhai o gyfeillion Brychan yn gwylio’r Wenallt y munud yma rhag ofn i ryw filwr o Norman ddod yn rhy agos. Mae Brychan wedi dweud wrtho i hefyd y ffordd orau o’r Wenallt i’r castell. Hefyd, mae un o gyfeillion Brychan yn gweithio’n aml y tu mewn i’r castell, a mae e wedi dweud wrtho i lle mae stafelloedd yr Iarll a’r Iarlles a’r mab.’

‘Fe fuon ni yn y castell hefyd, Ifor,’ meddai Iolo. ‘I lawr yn y dwnsiwn! ’

‘Do,’ atebodd Ifor, ‘ond fyddwn ni ddim yn mynd i’r dwnsiwn heno. O, na, ddim heno! Fe ddywedodd y cyfaill yma wrtho i hefyd y ffordd orau o’r muriau i’r stafelloedd. Mae’r stafelloedd yn y gaer, wrth gwrs. Nawr, mae grisiau

trefnu *to arrange*
tra *while*
egluro *to explain*
grisiau cerrig *stone steps*

cerrig yn arwain o ben y mur i'r beili rhwng y mur a'r gaer. Mae'r darlun o'r lle yn glir yn fy meddwl i, a felly, fe fydd rhaid i chi fy nilyn i'n ofalus a chadw'n agos pan fyddwn ni wedi dringo'r mur.'

'Rydyn ni'n deall, Ifor,' meddai Rhys ap Dewi.

'O'r gorau! Ydych chi wedi cael digon o fwyd nawr?' gofynnodd Ifor.

'Ydyn,' atebodd y pum dyn arall.

'Ardderchog! Rydyn ni'n mynd nawr i lawr at yr afon. Mae llwybr yn dilyn yr afon. Yna, heb fod ymhell o'r castell, mae llwyn o goed derw. Fe fyddwn ni'n rhwymo rhannau'r ysgol wrth ei gilydd dan y coed derw yma, ag yn rhwymo'r merlod hefyd yno. Fe fyddwn ni eisiau'r merlod i fynd â ni'n ôl adref!'

'Bydd,' meddai Llewelyn Gwargam. 'A wedyn, ar ôl rhwymo'r ysgol?'

'A wedyn,' meddai Ifor a'i lygaid yn fflachio, 'fe fydd y tanau'n dechrau! Fe fydd y tanau'n goleuo ar y Llechwedd ag ar y Morfa, ag ar y Rhath hefyd, ond yn ddigon pell oddi wrth y dref ei hun. Dydyn ni ddim eisiau llosgi bythynnod ein cyfeillion. Mae'r Llechwedd a'r Morfa a'r Rhath ar ddwy ochr y castell i ffwrdd oddi wrth y lle byddwn ni'n dringo'r mur, a mae'r afon ar yr ochr arall.'

'A! Rydych chi wedi meddwl y cynllun yma'n dda iawn, Ifor. Fe fydd tanau ar ddwy ochr, yr afon ar y drydedd ochr, a fe fyddwn ni'n dringo ar y bedwaredd ochr,' meddai Bleddyn ab Owain.

'Dyna fe,' meddai Ifor. 'Rhai o'n cyfeillion ni fydd yn cynnau'r tanau. Fe fydd eraill o'n cyfeillion ni'n dod allan o'u bythynnod ag yn cadw sŵn ag yn gweiddi, 'Mae gelynion yn dod o'r môr!' a phethau tebyg. Mae'r Morfa'n agos at y môr fel rydych chi'n gwybod. Fe fydd y tanau a'r gweiddi'n tynnu sylw'r milwyr ar furiau'r castell, a fe fyddan nhw'n rhedeg i weld beth ydy'r trwbwl. Fe fydd

arwain *to lead*
heb fod ymhell *not far*
llwyn *grove*

wrth ei gilydd *together*
coed derw *oak trees*
gelyn(ion) *enemy(ies)*

rhai ohonyn nhw — y rhan fwya, gobeithio — yn dod allan o'r castell i ymladd yn erbyn y 'gelynion o'r môr'. Fe fydd digon o olau iddyn nhw weld eu ffordd, beth bynnag! Hefyd, fe fydd rhai o'r Cymry'n sgrechian a gweiddi wrth borth y castell. 'Dewch, filwyr! Mae'r gelynion yn llosgi ein bythynnod ni!' Fe fydd dynion y tanau'n rhedeg yn ôl i'r dref ar unwaith, a fe fyddan nhw'n gweiddi, 'Rydyn ni wedi gweld y gelynion!' a phethau tebyg. Pan fydd y tanau'n cynnau'n iawn, fe fyddwn ni'n rhedeg at y mur ag aros yno a'r ysgol yn barod.'

'Ewch ymlaen, Ifor,' meddai Rhys ap Dewi. Roedd geiriau Ifor fel miwsig yn ei glustiau fe. . . . Fe aeth Ifor ymlaen.

'Un o'r dynion y tu allan i borth y castell fydd Brychan. Pan fydd y porth yn agor a'r milwyr yn dod allan — a maen nhw'n siŵr o ddod i chwilio am y gelyn — fe fydd Brychan yn rhedeg i ddweud wrthon ni. Yna i fyny'r ysgol â ni, a fe fydd y fenter fawr wedi dechrau,' meddai Ifor. 'Ydy popeth yn glir? Oes unrhyw beth gyda chi i ddweud neu i ofyn?'

'Oes,' meddai Llewelyn Gwargam. 'Fe fydd y Normaniaid yn gweld drwy'r cynllun erbyn y bore, a fe fyddan nhw'n cosbi Cymry'r dref.'

'Na fyddan,' atebodd Ifor, 'os bydd yr Iarll yn ein dwylo ni, a fe fydd e! I ffwrdd â ni nawr yn dawel, dawel i lawr at yr afon ag i'r llwyn o goed. Rydw i'n gwybod y ffordd. Dilynwch fi. A mae'n well i chi i gyd gerdded ag arwain y merlod.'

I ffwrdd â nhw wedyn, un ar ôl y llall, gan arwain eu merlod a dilyn Ifor . . .

erbyn y bore *by the morning*
un ar ôl y llall
one after another (the other)

12

Y Fenter Fawr

Fe gyrhaeddodd Ifor a'i gwmni y llwyn heb weld na chlywed neb.

'Dyma ni . . .' meddai Ifor, ond yn sydyn dyna ddyn yn dod o'r tu ôl i un o'r coed. Neidiodd calonnau'r chwe Chymro a fe aeth chwe llaw at chwe dagr.

'Pwy . . . ?' meddai Ifor.

'Rydych chi wedi cyrraedd,' meddai'r dyn.

'Brychan!' meddai Ifor. 'Roedd fy nghalon yn fy ngwddw am eiliad. Roeddwn i'n dechrau ofni . . .'

'Does dim rhaid i chi ofni. Mae popeth yn barod. Mewn deng munud fe fydd y tanau'n dechrau. Ydy'r ysgol yn barod gyda chi?' gofynnodd Brychan.

'Nag ydy, ond fe fydd hi'n barod mewn pum munud — dim ond eisiau rhwymo'r tair rhan wrth ei gilydd,' atebodd Ifor.

'O'r gorau! Rydw i'n mynd yn ôl at y porth,' meddai Brychan, ag yn sydyn roedd e wedi diflannu fel cysgod.

Fe rwymodd y chwe Chymro dair rhan yr ysgol wrth ei gilydd, ag yna aros . . . aros . . . a'u llygaid tua'r Llechwedd a'r Morfa a'r Rhath. Yna'n sydyn, fe welon nhw fflamau a mwg yn codi i'r awyr, a chlywed dynion yn gweiddi. Roedd Ifor a'r pump arall yn dal yr ysgol yn barod i redeg at y mur, a'u tafodau nhw'n sych yn eu cegau. Dyna fwy o danau a mwy o weiddi. . . . Un munud arall . . . dau . . . tri . . . pedwar. . . . Roedd y Llechwedd a'r Morfa yn olau fel dydd, ond doedd Brychan ddim wedi dod eto. Oedd

eiliad *second (of time)* diflannu *to disappear*

rhywbeth wedi digwydd iddo fe? Chwe munud hir . . . saith . . . a dyna fe!

'Brysiwch nawr, gyfeillion! Ond byddwch yn ofalus. Mae llawer o'r milwyr wedi dod allan drwy'r porth, ond mae rhai yn y castell o hyd,' meddai Brychan. Yna, i ffwrdd â fe'n ôl at borth mawr y castell.

Nawr roedd y fenter fawr yn dechrau yn wir. Roedd Cymry'r dref yn gwneud eu gwaith yn ardderchog, a roedd rhaid i'r chwe Chymro o'r bryniau wneud eu rhan nhw nawr. Roedd rhaid cipio'r Iarll nawr, neu . . .

'Barod?' meddai Ifor.

Roedd pawb yn barod.

'Ymlaen â ni! Ond cadwch yn y cysgod.'

Ymlaen â nhw, pedwar yn cario'r ysgol fawr a dau yn cario'r rhaffau, a roedd dagr yn llaw pob un. Mewn hanner munud roedden nhw wedi dodi'r ysgol yn erbyn y wal. Oedd, roedd hi'n ddigon hir i gyrraedd y pen. Ifor oedd y cynta i ddringo. Fe safodd e am eiliad neu ddwy ar ben yr ysgol gan edrych o'i gwmpas yn ofalus, ond doedd dim un milwr yn agos. Roedd rhai milwyr draw ar y mur yn gwylio'r tanau.

'Dewch!' meddai Ifor yn dawel.

Dringodd y pump arall yn gyflym i ben yr ysgol, un ar ôl y llall.

'Dilynwch fi,' meddai Ifor.

Roedd ffaglau'n taflu ychydig o olau yma ag acw, a gyda golau'r lleuad a'r golau o'r tanau, roedd y dynion yn gallu gweld eu ffordd yn glir.

Fe arweiniodd Ifor y pump fel cysgodion i lawr y grisiau cerrig i waelod y mur, yna ar draws y beili i'r gaer lle roedd y stafelloedd i gyd. Roedd milwr yn sefyll wrth y drws i'r gaer.

'Arhoswch!' meddai Ifor yn dawel. Yna, fe lithrodd e ymlaen fel cysgod. Yn sydyn, Wach! Roedd dagr yng nghefn y milwr a fe syrthiodd e ar ei wyneb i'r llawr.

yn wir *indeed*
yn erbyn *against*
gwaelod *bottom*
ar draws *across*

'Tynnwch e i'r cysgod,' meddai Ifor, 'ag yna, i mewn i'r gaer â ni!'

Gwaith eiliad neu ddwy oedd symud y milwr i'r cysgod. I mewn â'r chwech wedyn i'r gaer. Eto roedd ffaglau'n llosgi a roedd digon o olau. Fe aeth y chwech ymlaen yn dawel a chyflym. Roedd y darlun o'r tu mewn i'r gaer yn glir ym meddwl Ifor, a fe arweiniodd e'r cwmni yn syth i stafell yr Iarll Wiliam. Doedd dim un milwr yn unman, ond y cwestiwn mawr ym meddwl Ifor nawr oedd, oedd yr Iarll wedi codi i weld y tanau?

Fe agorodd Ifor y drws yn dawel, dawel. Roedd y stafell yn dywyll ond am yr ychydig bach o olau o'r ffenestr yn uchel yn y wal. Ond roedd digon o olau i weld lle roedd y gwely. Llithrodd Ifor a Iolo a Bleddyn i mewn i'r stafell a'r tri arall yn gwylio wrth y drws.

Fe aeth Ifor at y gwely. A! Dyna ben yr Iarll. Dododd Ifor ei ddwylo am wddw'r Iarll a gwasgu. Safodd Iolo wrth ei ochr a dagr yn ei law, yn barod i daro os oedd eisiau.

Fe ddeffrodd yr Iarll.

'Be . . . Beth . . .' ond roedd y dwylo'n gwasgu'n rhy galed iddo fe ddweud dim rhagor.

'Dim sŵn neu fe fydd dagr yn eich calon chi,' meddai Ifor.

Ar unwaith dyma Bleddyn yn rhwymo cadach am geg yr Iarll tra oedd Ifor yn gwasgu . . . gwasgu ei fysedd am ei wddw e.

'Y rhaffau nawr am ei ddwylo fe a'i draed,' meddai Ifor.

Druan o'r Iarll! Doedd e ddim yn gwybod beth oedd yn digwydd. Roedd popeth wedi digwydd mor sydyn. Mewn hanner munud roedd Iolo a Bleddyn wedi gorffen y gwaith o rwymo'r Iarll. Cydiodd Iolo ynddo fe a'i godi fe dros ei ysgwydd.

'I ffwrdd â chi!' meddai Ifor. 'Ewch chi gyda Iolo, Bleddyn, rhag ofn bydd milwr neu ddau wedi dod yn rhy agos at ben yr ysgol. A fe fydd eisiau help ar Iolo i gario'r

llithro *to slide, to slip*
iddo fe ddweud dim rhagor
for him to say any more

Iarll i lawr yr ysgol. Arhoswch amdanon ni yn y llwyn derw. Nawrte, yr Iarlles! Mae hi yn y stafell nesa . . . gobeithio. Dyna ei stafell hi, beth bynnag. Dewch chi gyda fi, Llewelyn Gwargam. Chi sy'n mynd i gario'r Iarlles. Dewch chi â'r rhaffau, Dafydd . . . a'r cadach.'

Llithrodd Ifor fel cysgod eto i mewn i stafell yr Iarlles. Yma eto roedd ychydig o olau'n dod drwy ffenestr uchel, digon i weld yr Iarlles yn gorwedd ar ei gwely. Doedd Ifor ddim byth yn greulon wrth wraig, ond roedd ei fywyd e a'i gyfeillion yn fwy pwysig na dim arall nawr. Gwasgodd ei ddwylo am ei cheg i'w chadw hi rhag gweiddi, a mewn byr amser, roedd cadach am ei cheg hi hefyd a roedd rhaffau'n rhwymo'i dwylo a'i thraed. Fe gododd Llewelyn hi ar ei ysgwydd ag i ffwrdd â fe a Dafydd ab Iorwerth yn ei ddilyn e a'i ddagr yn barod yn ei law.

'Chawson ni ddim llawer o drwbwl gyda'r ddau yna,' meddai Ifor wrth Rhys ap Dewi. 'Nawr, y bachgen! Yn y stafell yma.'

Fe agorodd Ifor y drws yn dawel. . . . Doedd y bachgen ddim yn ei wely. Roedd e wedi dringo ar ben stôl i weld y tanau y tu allan. Roedd Ifor yn gallu gweld siâp ei ben e yn y ffenestr. Roedd sŵn y gweiddi y tu allan wedi deffro'r bachgen, mae'n debyg. Doedd y sŵn ddim wedi deffro'r Iarll a'r Iarlles — roedd gormod o win a bwyd da yn eu boliau nhw, fwy na thebyg. Fe hanner-droiodd y bachgen pan deimlodd e'r gwynt oer drwy'r drws agored. Ei dad neu un o'r milwyr oedd yno, siŵr o fod.

'Dewch i weld y tanau,' meddai fe.

Yn sydyn roedd llaw fawr dros ei geg e.

'Dim sŵn, neu fe fydd dagr ynoch chi,' meddai Ifor. 'Y cadach, Rhys!'

Fe ddaliodd Ifor ei law dros geg y bachgen a Rhys yn gwneud ei orau i rwymo'r cadach. Dyna'r cadach am ei geg e o'r diwedd a'r bachgen yn cicio ag yn ymladd fel cath wyllt o'r coed. Fe gafodd Ifor a Rhys fwy o drwbwl gyda

gwin *wine*

fe na gyda'i dad a'i fam. Ond cyn hir roedd rhaffau am ei ddwylo a'i draed e hefyd. Fe gododd Rhys e ar ei ysgwydd.

'Allan â ni!' meddai Ifor. 'Mae'r pedwar arall a'r Iarll a'r Iarlles allan o'r castell a dros y mur erbyn hyn, gobeithio!'

Fe aeth Ifor allan o'r stafell gynta ag edrych o gwmpas. Na, doedd dim milwr yn unman.

'Dewch!' meddai fe wrth Rhys ap Dewi.

Roedden nhw'n cyrraedd drws y gaer a heb weld neb. Roedd ffagl yn llosgi yno. Ust! Dyna sŵn traed yn dod at y drws a dyna filwr yn dod i mewn.

'Beth . . .' dechreuodd y milwr a'i law'n mynd at ei gleddyf. A dyna'i air ola! Fe neidiodd Ifor ymlaen a phlannu ei ddagr yn ei wddw e.

'Dewch!' meddai Ifor wrth Rhys.

Allan â nhw drwy'r drws ac ar draws y beili a'r bachgen yn cicio ag yn ymladd o hyd. I fyny'r grisiau cerrig at ben y mur. Draw ar yr ochr arall roedd y milwyr o hyd yn gwylio'r tanau. Roedd sioc yn eu haros nhw!

'I lawr yr ysgol, Rhys. Rydw i'n aros yma rhag ofn,' meddai Ifor.

Pan oedd Rhys wedi cyrraedd y gwaelod, fe lithrodd Ifor i lawr ar ei ôl e. Mewn munud roedden nhw wedi cyrraedd y llwyn derw. Roedd Brychan yno hefyd gyda Iolo a'r tri arall — a'r Iarll a'r Iarlles!

'Rydych chi wedi cipio'r tri! Ardderchog!' meddai fe.

'Brychan! Diolch am eich help, a diolch i Gymry dewr y dref,' meddai Ifor. Yna, 'Yr Iarll ar fy merlyn i! Y bachgen gyda chi, Iolo, a'r Iarlles ar eich merlyn chi, Llewelyn, ag yn ôl i'r mynyddoedd â ni mor gyflym ag sy'n bosibl. Does dim amser i siarad nawr. Mae pob eiliad yn berygl. Dilynwch fi.'

Roedd y tanau o hyd yn llosgi ar y Llechwedd a'r Morfa, a roedd sŵn gweiddi mawr yn dod o'r ochr arall i'r castell. Roedd cynllun Ifor wedi gweithio, ond doedden nhw'r chwech ddim yn ddiogel eto. Roedd milltiroedd gyda nhw

unman *anywhere* ola *last*

i fynd cyn cyrraedd y goedwig. Ond unwaith roedden nhw yno, roedden nhw'n ddiogel. Doedd neb yn debyg o'u dilyn nhw drwy'r goedwig.

'Dewch, gyfeillion,' meddai Ifor.

Roedd y lleuad, y tywydd, popeth wedi bod yn garedig wrthyn nhw. Roedd gwên ar wyneb y lleuad — roedd Ifor yn siŵr. Fe gyrhaeddodd y cwmni y goedwig heb weld neb — dim ond cysgodion nawr ag yn y man. Ond Brychan a'i gyfeillion oedd y cysgodion, roedd Ifor yn gwybod, yn barod i neidio ar unrhyw Norman ar eu ffordd . . .

Roedd hi'n dechrau goleuo pan gyrhaeddon nhw Ogof Pen Mynydd a roedd pawb wedi blino'n lân — y merlod hefyd — ag yn llwgu am fwyd. Ag O! y croeso iddyn nhw yno. Roedd Nest a Gwenllian a'r plant wrth eu bodd ag yn neidio ag yn sgrechian yn llon. Roedd hi wedi bod yn noson hir, hir iawn iddyn nhw hefyd. Ond am y tri Norman, roedd golwg ofnadwy arnyn nhw, a roedden nhw'n crynu yn awyr oer y bore. Ond roedd bwyd cynnes iddyn nhw hefyd. Doedd Ifor ddim yn mynd i'w llwgu nhw . . . ddim eto.

Wedi bwyta fe aeth y dynion â'r Iarll a'i wraig a'r mab i Ogof yr Eryr gyda'r rhaffau am eu traed a'u dwylo o hyd, ond heb y cadachau am eu cegau nhw. Roedden nhw'n rhydd i siarad — a gweiddi a sgrechian hefyd, ond doedd dim Norman yn debyg o'u clywed nhw.

'Dyma'ch cartref chi nawr,' meddai Ifor wrth yr Iarll. Fe bwyntiodd e at fwndel o grwyn ar y llawr. 'Dyna'ch gwely chi. Tybed fyddwch chi'n hoffi byw mewn ogof oer ar ben y mynydd. A rydych chi'n lwcus y bore yma. Dydy hi ddim yn bwrw glaw a does dim llawer o wynt.'

'Fe fyddwch chi'n talu am hyn i gyd,' meddai'r Iarll yn wyllt ei dymer. 'Fe fydd dial am hyn . . .'

caredig *kind*

13

Yn Ogof yr Eryr

Fe gysgodd y chwe Chymro am oriau ar ôl eu menter fawr. Ond chysgodd y tri Norman ddim. Roedd eu gwely o grwyn a gwellt ar y llawr yn galed, a roedd gwynt oer yn chwythu drwy'r ogof. Doedden nhw ddim yn gallu symud chwaith achos roedd y rhaffau amdanyn nhw o hyd. Roedd poen gyda'r Iarll yn ei wddw hefyd — roedd Ifor wedi gwasgu mor galed!

Wedi deffro a bwyta, fe aeth Ifor a Iolo draw o Ogof Pen Mynydd i Ogof yr Eryr. Fe dynnon nhw'r rhaffau oddi am y tri a rhoi bwyd iddyn nhw — bara ceirch a dŵr oer o'r nant.

'Oes dim byd gwell gyda chi na'r bara a'r dŵr yma?' gofynnodd yr Iarlles pan welodd hi'r bwyd.

'Nag oes,' atebodd Ifor. 'Bara ceirch a dŵr gawson ni hefyd. Does dim medd na gwin na dim gyda ni nawr. Sut rydych *chi'n* hoffi byw a chysgu mewn ogof?'

'Cysgu? Fe fyddwch chi'n talu am hyn gyda'ch bywydau,' meddai'r Iarll. 'Fe fydd fy milwyr yn chwilio'r mynydd-oedd yma amdanon ni, a wedyn, fe fyddwch chi'n cael eich cosbi. Fe fydda i wrth fy modd yn eich gwylio chi yn eich poenau. Fe fyddwch chi'n marw'n araf, araf, a hynny ynghanol tref Caerdydd i bob Cymro eich gweld chi. Fe fydd hynny'n esiampl i bob taeog yn y wlad yma.'

Chwerthodd Ifor.

'Fe fydd eisiau byddin fawr o filwyr i chwilio'r mynydd-oedd yma, a does dim byddin ddigon mawr gyda chi yng

poen(au) *pain(s)*
nant *brook*

esiampl *example*

Nghaerdydd. A beth bynnag, os bydd y milwyr yn gadael Caerdydd, fe fydd Cymry'r dref yn ymosod ar y castell ag yn ei losgi fe i'r llawr. Fe fyddan nhw'n lladd pob Norman yn y lle. A pheth arall. Mae eich milwyr wedi cael neges erbyn hyn — os byddan nhw'n cosbi unrhyw Gymro am gynnau tanau i'n helpu ni neithiwr, fe fyddwn ni yn eich crogi chi ar un o'r coed yma.'

'Ein crogi ni?' meddai'r Iarlles a'i llygaid yn llawn ofn.

'Byddwn, y tri ohonoch chi,' atebodd Ifor, a doedd e ddim yn chwerthin nawr.

'Y dyn ofnadwy!' sgrechiodd yr Iarlles. 'Fe fydd rhagor o filwyr yn dod o bob rhan o'r wlad i'n cael ni'n rhydd, a wedyn, fe fydda i wrth fy modd yn eich gwylio chi'n dioddef. Fe fyddwch chi'n cael eich rhostio'n fyw. Fe fydd yn bleser eich clywed chi'n gweiddi yn eich poenau . . . O, bydd!'

'O, na, Iarlles, fyddwch chi ddim yn cael y pleser o'n gweld ni'n dioddef, achos y munud bydd milwyr yn dod i fyny i'r mynydd yma, fe fyddwch chi'n crogi o'r goeden acw. Ydych chi'n ei gweld hi?' A fe bwyntiodd Ifor at goeden gerllaw. 'Felly, mae'n well i'ch milwyr chi gadw draw. A roeddech chi'n sôn am ddioddef, Iarlles. Ni sy'n dioddef. Rydych chi'r Normaniaid wedi dwyn ein tir a'n cartrefi ni. . . . Ie, Iarll Wiliam, dwyn ydy'r gair, nid concro! Ydych chi'n ein cofio ni'n dod i'ch castell chi, Iarll Wiliam? Fe ddaethon ni i ofyn i chi stopio Roland y Blaidd a phobl fel fe rhag dwyn dim mwy o'n tir ni. Doeddech chi ddim yn fodlon gwrando arnon ni y pryd hynny, ond mae rhaid i chi wrando nawr, a mae rhaid i chi addo llawer o bethau i ni cyn mynd yn ôl i'ch castell. Os byddwch chi'n addo, wel, fe fyddwch chi'n rhydd i fynd yn ôl i'ch gwely cynnes yn y castell . . .'

Fe neidiodd yr Iarll ar ei draed a mynd at Ifor, ond roedd dagr yn llaw Ifor.

crogi *to hang*
dioddef *to suffer*
rhostio *to roast*
pleser *pleasure*
y pryd hynny *at that time*

'Addo? Addo?' gwaeddodd e'n ddig. 'Fydda i ddim yn addo dim i chi. Dim ond poen a chosb a marw'n araf. Ie, a fe fydda i'n crogi hanner dynion Caerdydd o furiau'r castell.'

Roedd e'n barod i daro Ifor, ond fe gododd Ifor y dagr o'i flaen e.

'Cyn crogi neb, fe fydd rhaid i chi fynd yn ôl i'ch castell, Iarll Wiliam . . . yn fyw, wrth gwrs. Felly, eisteddwch yn dawel ar y crwyn yna. Rydyn ni wedi mentro'n bywydau ni i'ch cipio chi o'r castell, a dydyn ni ddim yn gwneud peth fel yna am ddim, Iarll William. Mae rhaid i chi addo . . .'

Fe dorrodd yr Iarlles ar draws Ifor. Doedd hi ddim yn hoffi'r syniad o grogi o goeden ar ben y mynydd yma!

'Addo beth?' gofynnodd hi.

'Yn gynta, mae rhaid i'r Iarll addo ein gadael ni i fyw yn rhydd a mewn heddwch. Yn ail, mae rhaid i fi a fy nghyfeillion gael ein tiroedd yn ôl. Ag yn drydydd, mae rhaid i'r Iarll gosbi Roland y Blaidd a'i anfon e'n ôl i Ffrainc.' Fe droiodd Ifor at yr Iarll. 'Ydych chi'n deall, Iarll Wiliam?'

'Deall? Ydw, rydw i'n deall, a rydw i'n eich adnabod chi hefyd, Ifor ap Meurig, neu beth bynnag ydy'ch enw chi. Rydw i'n eich adnabod chi'n dda iawn. Rydych chi'n ddyn bach dewr, ond dydych chi ddim yn ddyn bach creulon. Fyddwch chi byth yn ein crogi ni,' meddai'r Iarll, gan edrych yn syth i lygaid Ifor. 'Felly, does dim ofn arna i, a fe fydd fy milwyr yn dod cyn hir, a milwyr o bob rhan o'r wlad hefyd. Fe fyddan nhw'n eich casglu chi o'r mynydd-oedd yma fel defaid yn barod i'r gyllell.'

Gwenodd Ifor.

'O, felly? Dydw i ddim yn ddigon creulon? Fe gewch chi weld. Rydw i'n eich gadael chi nawr,' meddai Ifor. 'Fe fyddwch chi'n rhydd i gerdded o gwmpas y mynydd yma yn y dydd, ond peidiwch â cheisio dianc achos fe fydd rhai o fy nynion yn eich gwylio chi bob munud, a maen nhw'n gallu saethu'n syth â'r bwa. Ffarwel nawr. Mae noson oer eto o'ch blaen chi.'

yn fyw *alive*

fe gewch chi weld *you shall see*

Fe gerddodd Ifor yn araf yn ôl i Ogof Pen Mynydd. Oedd yr Iarll wedi dweud y gwir? Siarad gwag oedd sôn am grogi'r Iarll a'i wraig a'r bachgen? Oedd e'n ddigon creulon i grogi a lladd gwraig a phlentyn os oedd rhaid? Doedd Ifor ddim yn siŵr . . . ddim yn siŵr . . .

siarad gwag *empty talk*

14

Addo

ROEDD Ifor yn eistedd wrth y tân o flaen Ogof Pen Mynydd a'i ben yn ei ddwylo. Doedd neb arall yno. Roedd Iolo a Gwenllian a Rhodri'n chwilio am wyau adar tra oedd y ddau blentyn arall yn chwarae wrth y nant gerllaw. Roedd Nest yn brysur y tu mewn i'r ogof. Ond yn fuan, dyma hi allan. Roedd hi wedi addo chwilio am wyau adar gyda Gwenllian. Fe welodd hi Ifor wrth y tân.

'Ifor, beth sy'n bod? Rydych chi'n edrych yn drist ofnadwy,' meddai hi. Fe aeth hi ato fe a dodi ei llaw ar ei ysgwydd. 'Ydy'r cynllun ddim yn gweithio? Ydy'r Iarll yn gwrthod addo?'

'Ydy, mae e'n gwrthod, a fe fydd e'n hir cyn addo dim i ni, rydw i'n ofni. Mae e wedi bod yn yr ogof yna am dri diwrnod yn barod, ond gwrthod addo mae e o hyd,' atebodd Ifor. 'Mae e'n ddyn balch . . .'

'Ond beth am yr Iarlles a'r bachgen? Fe fyddan nhw'n marw os byddan nhw'n aros yn yr ogof yna'n hir iawn,' meddai Nest. 'Dydyn nhw ddim wedi byw bywyd caled ar y mynyddoedd fel rydyn ni. Fe fydd yr Iarlles yn siŵr o berswadio'r Iarll cyn hir, Ifor.'

'Na fydd, fydd hi ddim yn ei berswadio fe. Mae calon fel carreg gyda fe.'

'Ond fe fydd yr Iarlles yn siŵr o farw.'

'Fe fydd yn well gyda'r Iarll weld yr Iarlles yn marw, a'r mab hefyd, nag addo dim i ni. Ag erbyn hynny, fe fydd milwyr y Normaniaid o bob man yn chwilio'r mynyddoedd

gwrthod *to refuse* perswadio *to persuade*

yma. Fydd dim siawns gyda ni wedyn. Fe fydd yr Iarll yn dial ar bawb. Norman balch ydy e, a dyn creulon hefyd. Mae arna i ofn, Nest . . . ofn!'

'Ofn, Ifor? Na, welais i erioed ddim ofn arnoch chi . . .'

Torrodd Ifor ar ei thraws hi'n sydyn.

'Ydw i'n ddyn creulon, Nest?'

'Chi'n greulon, Ifor? Na, Rydych chi'n ddyn dewr . . . dyn caled weithiau, efallai, ond dyn caredig hefyd,' atebodd Nest. 'Pam rydych chi'n gofyn, Ifor?'

'Roedd arna i eisiau gwybod, dyna i gyd.'

'Dyna i gyd?'

'Dyna i gyd, Nest.'

Fe gododd Ifor a mynd i mewn i'r ogof. Pan ddaeth e allan ryw funud wedyn, roedd tair rhaff yn ei ddwylo fe. Fe eisteddodd e eto wrth y tân a dechrau gweithio ar y rhaffau.

'Beth rydych chi'n wneud â'r rhaffau yna?' gofynnodd Nest.

'Rydw i'n rhoi cwlwm rhedeg arnyn nhw.'

'Cwlwm rhedeg? Pam, Ifor?'

'Rydw i'n mynd i grogi'r tri Norman yna!'

'Beth? Na, Ifor! Mae'n amhosibl. O, na! Peidiwch!' Roedd Nest yn torri ei chalon. 'Dydych chi ddim yn ddigon creulon i grogi bachgen a gwraig fel yr Iarlles.'

'Dyna beth ddywedodd yr Iarll,' atebodd Ifor, a fe aeth e ymlaen â'r gwaith o ddodi cwlwm rhedeg ar bob un o'r tair rhaff.

'Ond dydych chi ddim yn mynd i'w crogi nhw nawr . . . ar unwaith?' meddai Nest a'i llais yn crynu gan ofn.

'Na, dydw i ddim yn mynd i'w crogi nhw ar unwaith, ond fe fydd y rhaffau'n barod. Rydw i'n mynd i'w dodi nhw ar y goeden gerllaw Ogof yr Eryr . . . nawr . . . Ie, nawr. Fe fydd y tair rhaff o flaen llygaid yr Iarll a'r Iarlles drwy'r dydd, heddiw ag yfory. Fe fydd hynny'n ddigon i berswadio'r Iarll, efallai. Fe fydda i'n rhoi dau ddiwrnod i'r

cwlwm rhedeg
running knot, slip knot

Iarll, ag os fydd e ddim yn addo wedyn, wel. . . . Rydw i'n mynd i ddodi'r rhaffau ar y goeden nawr. Mae'r tri chwlwm rhedeg yn barod.'

'Ifor!' meddai Nest a roedd ei llais hi'n galed nawr. 'Os byddwch chi'n crogi unrhyw un o'r tri Norman yna, fe fydd hi'n amhosibl i fi fyw gyda chi eto. Fe fydda i'n mynd a'ch gadael chi.'

'Fyddwch chi, Nest? Dydw i ddim yn meddwl. Dewch i weld wynebau'r tri Norman yna pan fydda i'n dodi'r rhaffau ar y goeden,' meddai Ifor.

'Na, rydw i'n mynd i chwilio am Iolo a Gwenllian,' a fe ddiflannodd Nest y tu ôl i'r creigiau . . .

Pan aeth Ifor yn ôl i Ogof yr Eryr, roedd yr Iarll a'i wraig yn eistedd yng ngheg yr ogof. Roedden nhw wedi gwisgo crwyn eu gwelyau amdanyn nhw i'w cadw eu hunain yn gynnes. Gwelodd yr Iarlles y rhaffau yn llaw Ifor.

'Dydych chi ddim. . . . Dydych chi ddim . . .' Roedd ei thafod hi'n sych fel llwch haf yn ei cheg.

'Na,' meddai Ifor, 'dydw i ddim yn mynd i'ch crogi chi nawr ar unwaith. Does dim digon o ddynion gyda fi yma. Rydw i'n ddyn dewr, meddai'r Iarll eich gŵr, ond dydw i ddim yn ddyn creulon, meddai fe. Wel, fe gewch chi weld. . . . Cewch, fe gewch chi weld. Fe fydda i mor greulon ag unrhyw Norman.'

Fe gododd yr Iarll yn barod i neidio ar Ifor, ond dyna un o ddynion Ifor yn dod o'r tu ôl i graig fawr. Roedd bwa a saeth yn barod yn ei ddwylo. Fe eisteddodd yr Iarll unwaith eto.

Ar ôl rhwymo'r rhaffau ar y goeden, fe aeth Ifor at yr Iarll.

'Dyna nhw! Mae'r rhaffau'n barod,' meddai fe. 'Nawr, gwrandewch! Rydw i'n rhoi heddiw ag yfory i chi feddwl dros y peth. Erbyn y bore wedyn, mae rhaid i chi addo rhoi ein tiroedd yn ôl i ni, neu fe fyddwn ni yn eich crogi chi . . . y tri ohonoch chi. Rydych chi'n gweld, Iarll Wiliam,

llwch haf *summer dust*

does dim llawer o amser gyda ni. Fel dywedoch chi, fe fydd milwyr yn dod o bob rhan o'r wlad cyn hir, a felly, mae rhaid i fi weithio'n gyflym. Ar ôl eich crogi chi, fe fydda i'n galw ar Gymry Morgannwg i gyd i ddod i ymosod ar eich castell. Fe fyddwn ni yn ei losgi fe i'r llawr. Fe fydd llawer o Gymry'n colli eu bywydau, ond fe fydd mwy o Normaniaid. Y Normaniaid fydd yn concro yn y diwedd, rydw i'n gwybod, ond gwell marw na byw yn daeog fel rydyn ni nawr.'

Fe edrychodd yr Iarll ar Ifor heb ddweud gair. Oedd y dyn bach yma'n siarad yn wag nawr? Doedd yr Iarll ddim yn siŵr.

Ond roedd yr Iarlles yn siŵr. Roedd hi'n gallu ei gweld ei hun yn hongian ar y rhaff ar y goeden!

'Mae rhaid i chi addo. . . . Mae rhaid i chi addo,' wylodd yr Iarlles.

'Na,' atebodd yr Iarll.

'Na,' meddai'r mab hefyd. Roedd e'n Norman balch fel ei dad.

'Rydw i'n eich gadael chi nawr,' meddai Ifor. 'Cofiwch, fe fydda i'n cadw fy ngair . . .'

Aeth neb yn agos at y tri Norman y diwrnod yna wedyn, nag yn y nos na'r diwrnod wedyn, dim ond i roi bwyd iddyn nhw. Roedden nhw'n rhydd i symud o gwmpas, i fynd am dro, ond doedd dynion Ifor ddim ymhell a bwa a saeth gyda nhw'n barod. A roedden nhw'n gallu cysgu heb ddim rhaffau amdanyn nhw, ond roedd dynion Ifor yn agos nos a dydd.

Ond doedd dim eisiau symud o'r ogof ar yr Iarlles. Bob tro roedd hi'n edrych allan, roedd hi'n gweld y tair rhaff. Roedd hi'n gallu cysgu weithiau, ond roedd hi'n cael breuddwydion ofnadwy, a roedd hi'n deffro gan wylo a gweiddi. Roedd hi'n teimlo'r rhaff yn dynn am ei gwddw. Doedd hi ddim eisiau marw ar ben mynydd na mewn unrhyw le arall.

cri *cry*

'Mae rhaid i chi addo,' oedd ei chri ddydd a nos, ond 'Na' oedd ateb yr Iarll bob tro.

'Ond does dim rhaid i chi gadw eich gair,' meddai'r Iarlles. 'Rhowch eu tir yn ôl iddyn nhw, a gadewch i ni fynd o'r lle ofnadwy yma. Wedyn, casglwch eich dynion i gyd a dewch yn ôl yma a lladd y Cymry i gyd.'

'Pan fydda i'n rhoi fy ngair, fe fydda i'n cadw fy ngair,' oedd ateb yr Iarll bob tro.

'Cadw'ch gair! Mae'n well gyda chi fy ngweld i'n marw na thorri'ch gair,' wylodd yr Iarlles. 'Pwy ydy'r dyn bach yma? Rhyw Gymro bach taeog! Does dim rhaid i chi gadw eich gair â fe . . .'

A felly, drwy'r dydd a'r nos a'r diwrnod wedyn, roedd yr Iarlles yn ceisio perswadio'r Iarll i addo heddwch i'r Cymry. Yn wir, roedd hi'n mynd o'i cho wrth feddwl beth oedd o'i blaen hi. Roedd golwg wyllt yn ei llygaid hi a'i hwyneb hi'n wyn fel yr eira. Doedd hi ddim yn gallu bwyta na dim. Erbyn yr ail nos, roedd hi'n cerdded o gwmpas yr ogof gan dynnu ei gwallt ag wylo heb stop.

'O, rhowch eu tir yn ôl iddyn nhw,' meddai hi. 'Cosbwch Roland de Manche. Gwnewch unrhyw beth er mwyn i ni fynd yn ôl i'r castell. O, Wiliam, Wiliam, fy ngŵr, gadewch i ni fynd adref. Gwrandewch arna i. Fe fydd y Cymro bach yna'n cadw ei air, a fe fydd e'n dod ag yn ein crogi ni'n tri. Dydych chi ddim eisiau gweld eich mab yn marw hefyd, ydych chi?'

Roedd calon fel carreg gyda'r Iarll, ond doedd e ddim yn gallu dioddef gweld ei wraig yn mynd o'i cho fel hyn. Roedd e ei hun yn barod i adael i Ifor Bach ei grogi fe — roedd e'n rhy falch i addo dim i unrhyw daeog, a dyna beth oedd y Cymro bach yma — taeog! Ond doedd e ddim yn gallu dioddef meddwl am ei fab yn hongian ar goeden chwaith . . . ei fab. . . . Na, doedd y Cymro bach yma ddim yn mynd i'w grogi fe . . .

Fe ddaeth y bore — bore ola'r tri Norman. Fe gasglodd Ifor ei ddynion i gyd at ei gilydd, ei wraig a Gwenllian a

o'i cho *out of her mind*

phlant Iolo, a cherdded yn araf o Ogof Pen Mynydd i Ogof yr Eryr.

Yr Iarlles oedd y cynta yn yr ogof i'w gweld nhw'n dod.

'O, Dduw mawr, maen nhw'n dod,' meddai hi'n wyllt. Rhedodd hi allan o'r ogof, ond cydiodd Iolo ynddi hi a'i dal hi'n dynn yn ei freichiau cryf.

'O, na! Peidiwch â'n crogi ni,' sgrechiodd yr Iarlles. 'Mae'r Iarll yn addo . . . unrhyw beth . . . unrhyw beth, ond gadewch i ni fynd yn ôl i'n cartref ni!'

'Rhwymwch hi,' meddai Ifor wrth ddau o'i ddynion, ag yna, fe aeth e at yr Iarll. Roedd e ar ei draed erbyn hyn a'i fraich am ysgwyddau ei fab.

'Mae'r amser wedi dod,' meddai Ifor wrth yr Iarll. 'Rydych chi wedi cael amser i feddwl, a dyma eich siawns ola chi nawr. Ydych chi'n addo rhoi ein tiroedd yn ôl i ni?'

Roedd tawelwch mawr a phawb yn edrych ar yr Iarll ag yn gwrando. Roedd y Normaniaid wedi bod yn greulon wrthyn nhw, ond oedd rhaid iddyn nhw fod yn greulon hefyd? Roedd Gwenllian yn wylo fel plentyn. Doedd hi ddim yn gallu aros i weld neb yn cael ei ladd.

'Dewch,' meddai hi wrth y tri phlentyn. 'Dydyn ni ddim yn aros yma.' Doedd yr Iarll ddim yn mynd i addo, roedd hi'n siŵr.

Fe edrychodd yr Iarll ar Ifor heb ddweud gair, ag yna, fe droiodd e i edrych ar ei wraig yn ymladd ag yn gweiddi a'r dynion yn ceisio ei rhwymo hi.

'Ydw, rydw i'n addo,' meddai'r Iarll heb godi ei lais.

'Rydych chi'n addo rhoi ein tiroedd yn ôl i ni?' gofynnodd Ifor eto.

'Ydw,' atebodd yr Iarll.

Dyna weiddi mawr wedyn a phawb o'r Cymry yn neidio a chwerthin, mor hapus oedden nhw.

'Tawelwch!' meddai Ifor. 'Dydw i ddim wedi gorffen eto.' A fe droiodd e unwaith eto at yr Iarll.

'Rydych chi'n addo gadael i ni fyw mewn heddwch o hyn ymlaen?'

tawelwch *silence* o hyn ymlaen *from now on*

'Rydw i'n addo,' atebodd yr Iarll.

'Rydych chi'n addo cosbi Roland y Blaidd, a wedyn ei anfon e'n ôl i Ffrainc?'

'Rydw i'n addo.'

'Un peth arall,' meddai Ifor. 'Fe gawson ni lawer o help gan Gymry'r dref pan ymosodon ni ar y castell a'ch cipio chi i ffwrdd. Fyddwch chi ddim yn cosbi unrhyw un ohonyn nhw. Fyddwch chi ddim yn dial arnyn nhw, nag arnon ni? Ydych chi'n addo?'

'Rydw i'n addo.'

'Fyddwch chi ddim yn torri eich gair?'

'Na fydda. Rydw i wedi rhoi fy ngair. Dydy Norman byth yn torri ei air,' meddai'r Norman balch.

'Diolch, Iarll Wiliam,' meddai Ifor. 'Mae eich gair chi yn ddigon i fi. A nawr rydych chi a'ch gwraig a'ch mab yn rhydd i fynd yn ôl i'ch castell, a fe fydd heddwch drwy'r cymoedd yma i gyd. Mae merlod gyda ni yma yn barod i'ch cario chi i lawr y mynydd a drwy'r goedwig. Yno, fe fyddwn ni'n gadael i chi fynd yn rhydd. Fe fydd rhai o'ch milwyr chi yno, mae'n siŵr, yn barod i fynd â chi'n ôl i'r castell. Yfory, fe fydd Nest a fi'n dechrau codi cartref newydd lle roedd ein hen gartref ni . . .'

Fe edrychodd Ifor ar ei ddynion yn arwain y merlod yn cario'r Iarll a'i deulu i lawr y mynydd. Fe ddaeth Nest a sefyll wrth ei ochr.

'Fydd yr Iarll yn cadw ei air nawr?' gofynnodd Nest.

'Bydd, fe fydd e'n cadw ei air,' atebodd Ifor.

'Ydych chi'n siŵr?'

'Rydw i'n siŵr.'

Yna, meddai Nest,—

'Fyddech chi wedi crogi'r Iarll a'r Iarlles a'r mab?'

Fe edrychodd Ifor ar ei wraig a'i chymryd hi yn ei freichiau.

'Efallai . . . Efallai . . . ond doedd dim eisiau, nag oedd?'

Roedd gwên ar ei wyneb e . . .

Fyddech chi wedi *Would you have*